Exercez vos méninges

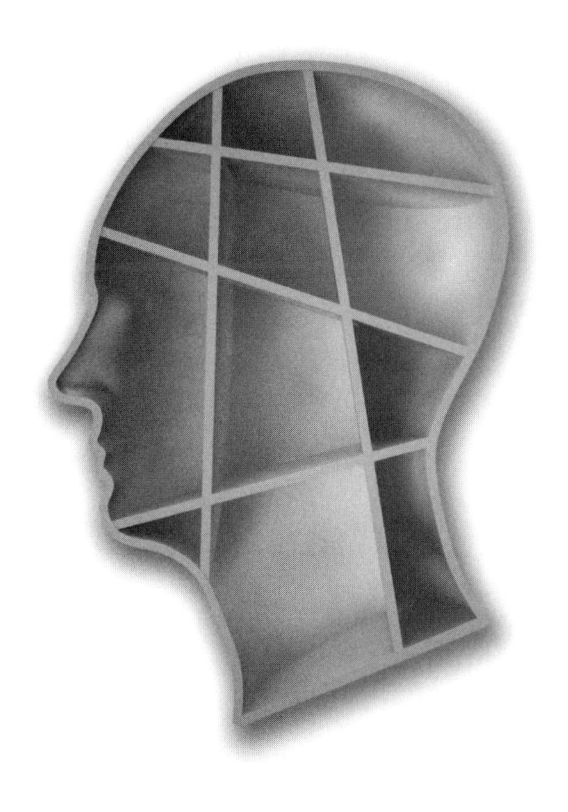

L'édition originale de cet ouvrage est parue chez Sterling Publishing Co., Inc. sous le titre *Maximize your IQ*.

ÉDITION SPÉCIALE POUR LE CLUB QUÉBEC LOISIRS Inc.
www.quebecloisirs.com

Publié par les Éditions Bravo!, une division de
LES PUBLICATIONS MODUS VIVENDI INC.
55, rue Jean-Talon Ouest, 2e étage
Montréal (Québec) H2R 2W8
Canada

www.editionsbravo.com

Directeur éditorial : Marc Alain
Conception de la couverture : Marc Alain
Traduction et adaptation : Germaine Adolphe
Révision : Andrée Laprise
Infographie : Caroline Coutu

ISBN 978-2-89430-917-9

Dépôt légal : Bibliothèque et Archives nationales du Québec, 2009
Dépôt légal : Bibliothèque et Archives Canada, 2009

Imprimé au Canada

TABLE DES MATIÈRES

INTRODUCTION

Qu'est-ce que l'intelligence ?

L'intelligence est la faculté d'apprendre ou de comprendre. Tout le monde possède sa propre aptitude intellectuelle générale. Cette aptitude varie d'une personne à une autre. Toutefois, elle demeure approximativement la même toute la vie pour n'importe qui. C'est elle qui permet à l'individu de faire face aux situations réelles et de profiter intellectuellement de l'expérience sensorielle.

En psychologie, l'intelligence est définie plus strictement comme la capacité d'acquérir le savoir et la compréhension, et de l'utiliser dans des circonstances différentes et nouvelles. Dans le cadre d'un test, on peut étudier officiellement le succès d'un individu à s'adapter à une situation spécifique.

Dans l'élaboration des tests d'intelligence, appelés tests de Q.I., la plupart des psychologues traitent l'intelligence comme une capacité générale agissant en facteur commun dans une grande variété d'aptitudes.

Cela ne veut pas dire, cependant, qu'une personne qui obtient de bons scores aux tests de Q.I. excelle forcément aux examens d'études, quelles que soient sa logique et sa vivacité d'esprit. La motivation et le dévouement sont parfois plus importants que l'intelligence. La réussite d'un examen d'études nécessite la capacité de se concentrer sur un seul sujet, de le comprendre et de l'intérioriser suffisamment à fond pour garder les faits à l'esprit durant l'épreuve. Il est souvent difficile pour une personne dotée d'un Q.I. élevé d'y parvenir, car un esprit hyperactif et curieux ne peut se concentrer sur un sujet très longtemps et cherche constamment la diversification. Toutefois, en appliquant un haut niveau d'autodiscipline, cette personne obtiendra fort probablement de très bons résultats.

On pourrait qualifier de génies plusieurs types d'intelligences. Les gens doués d'exceptionnels talents artistiques, créatifs, sportifs ou pratiques peuvent tous très bien réussir sans avoir nécessairement un Q.I. élevé. Il faut aussi souligner que posséder un Q.I. élevé ne signifie pas avoir une bonne mémoire. Une bonne mémoire est un autre type d'intelligence qui pourrait mener à une réussite scolaire en dépit d'un faible Q.I.

Une personne possédant une combinaison rare de Q.I. élevé, bonne mémoire, autodiscipline et dévouement a effectivement toutes les chances d'aller très loin dans la vie.

Qu'est-ce que le Q.I. ?

Q.I. est l'abréviation de quotient intellectuel. Le « quotient » est le résultat d'une division d'une quantité par une autre. L'adjectif « intellectuel » se rapporte à l'intelligence ou « capacité mentale », « vivacité d'esprit ». On pense généralement que le Q.I. est une caractéristique héréditaire qui change très peu au cours de la vie d'une personne, en diminuant à la vieillesse.

Pour mesurer le Q.I. d'un enfant, on lui fait passer un test d'intelligence standardisé, avec le score moyen enregistré pour chaque groupe d'âge. Ainsi, un enfant de dix ans qui obtient les résultats attendus d'un enfant de douze ans devrait avoir un Q.I. calculé comme suit :

$$\frac{\text{ÂGE MENTAL}}{\text{ÂGE CHRONOLOGIQUE}} \text{ X } 100 = \text{Q.I.}$$

$$\frac{12 \text{ ANS}}{10 \text{ ANS}} \text{ X } 100 = \text{Q.I. de } 120$$

Toutefois, cette méthode ne doit pas s'appliquer aux adultes, dont l'évaluation devrait être faite selon les pourcentages connus de la population.

Qu'est-ce que le test d'intelligence ?

Par contraste avec les tests de compétences ou d'aptitudes spécifiques, les tests d'intelligence (tests de Q.I.) sont des examens standardisés conçus pour mesurer l'intelligence humaine par opposition aux connaissances. Ils comportent une série de questions, d'exercices, ou de tâches, qui ont été présentés à des milliers de candidats et pour lesquels, dans le cas des enfants, on a établi des scores normalisés pour chaque âge. Les tests d'intelligence peuvent être individuels ou collectifs. Un test individuel est donné seulement à un candidat à la fois par un examinateur hautement qualifié. Un test collectif peut être passé par un nombre considérable de candidats en même temps, mais n'a pas la précision affinée d'un test individuel.

Il existe plusieurs types de tests d'intelligence – par exemple, Stanford-Binet, Cattell et Wechsler – et chacun a ses propres échelles d'intelligence. Le test Stanford-Binet, largement utilisé aux États-Unis, regorge de questions faisant appel aux habiletés verbales; le test Cattell, utilisé par British Mensa, recourt à deux tests : l'un avec un grand contenu verbal et l'autre culturellement équitable (diagrammes uniquement); les échelles de Wechsler consistent en deux sous-échelles distinctes (verbale et de performance), donnant chacune sa propre valeur de Q.I.

On dit que maîtriser les mots donne la capacité de produire de l'ordre dans le chaos, et que maîtriser le vocabulaire est une vraie mesure de l'intelligence. C'est pourquoi les tests de vocabulaire sont largement utilisés pour évaluer l'intelligence. Cependant, il y a eu un revirement vers les tests schématiques, où la logique importe plutôt que la connaissance des mots. Ces tests comprennent une grande proportion de questions spatiales. Ils sont conçus pour observer la compréhension des relations et des formes spatiales chez un individu. Selon leurs partisans, ils sont culturellement équitables et permettent de mesurer l'intelligence brute sans l'influence de connaissances préalables. Le présent livre contient un grand pourcentage de questions de cet ordre.

AMÉLIORER VOTRE Q.I.

On convient généralement que le Q.I. est héréditaire et demeure relativement stable toute la vie. Par conséquent, est-il possible d'améliorer sa performance dans les tests de Q.I.? Il y a quelques années, l'un des auteurs de ce livre a réussi à faire une demande d'adhésion à la société Mensa, une organisation pour personnes à Q.I. élevé, en améliorant sa valeur de Q.I. de six points sur une période d'un an, grâce à un entraînement continu aux tests de Q.I. Nous pensons qu'il est possible d'améliorer votre Q.I., ne serait-ce que de quelques points de pourcentage importants. En vous exerçant à passer plusieurs types de tests de Q.I., vous habituerez votre esprit à la diversité des questions possibles. Ces quelques points de pourcentage peuvent s'avérer cruciaux pour augmenter vos chances de décrocher un emploi. Votre réussite ou votre échec en dépendra si l'entrevue nécessite le passage d'un test de QI.

Un gymnaste améliore sa performance et augmente ses chances de succès à tous les niveaux de compétition, en se soumettant à des programmes d'entraînement éprouvants et en perfectionnant sa technique. De la même façon, les exercices de gymnastique mentale de ce livre vous aideront à améliorer votre performance aux tests de QI.

TYPES DE QUESTIONS

Bien que rien ne vaille l'entraînement avec de vrais tests, il est utile d'avoir une compréhension préalable des types de questions qui pourraient se présenter. Voici des exemples typiques de questions de vocabulaire utilisées dans les tests de Q.I. :

Catégorie

Dans certaines questions, une liste de mots vous est donnée et vous devez choisir « l'intrus ».

Exemple : globe, bille, sphère, sceptre, balle
Réponse : Sceptre est l'intrus, puisque les autres sont tous des objets circulaires.

Synonyme

Un synonyme est un mot dont le sens est le même qu'un autre dans la même langue.

Exemple 1 : Quel mot entre parenthèses a le même sens que celui en majuscules?
MOYEN (pauvre, intermédiaire, public, faible, valeur)
Réponse : intermédiaire
Exemple 2 : Quels sont les deux mots dont le sens se rapproche le plus?
marcher, courir, conduire, flâner, voler, s'asseoir
Réponse : marcher, flâner

Antonyme

Un antonyme est un mot dont le sens s'oppose à un autre dans la même langue.

Exemple 1 : Quel mot entre parenthèses est le contraire de celui en majuscules?
NÉGLIGENT (exact, soucieux, strict, anxieux, dévoué)

Réponse : soucieux

Exemple 2 : Quels sont les deux mots dont le sens s'oppose?
courbe, long, grand, petit, large, plat

Réponse : grand, petit

Analogie

Une analogie est une similitude de relations, où il faut déduire la réponse à partir d'un cas parallèle.

Exemple : OASIS est à SABLE ce que
ÎLE est à mer, rivière, eau, vagues, étang

Réponse : Eau, car une oasis est entourée de sable et une île est entourée d'eau.

Double sens

Ces questions sont conçues pour tester votre capacité de trouver rapidement les différents sens des mots. Cherchez un mot correspondant aux deux définitions proposées.

Exemple : compte rendu (...) relation

Réponse : rapport

Mot double

Dans ce test, on vous donne la première partie d'un mot ou d'une phrase et vous devez trouver la seconde. La même seconde partie devient alors la première d'un second mot ou d'une phrase.

Exemple : CAR (...) SURE

Réponse : TON : pour donner carton et tonsure.

Anagramme

Exemple 1 : Lequel de ces mots ne désigne pas un légume?
OUPREAI
OCROBIL
NOARCAI
TRACTOE

Réponse : NOARCAI est une anagramme d'OCARINA, un petit instrument à vent. Les légumes sont : poireau, brocoli, carotte.

Exemple 2 : Trouvez l'anagramme en un mot de :
UNE CARTE

Réponse : centaure

Mot codé

Exemple : Quel mot va entre les parenthèses?
ENCAS (CASE) PLACE
FUMET (...) LAINE

Réponse : MITE. Le mot entre parenthèses est formé comme suit : la première lettre est la troisième lettre du mot de gauche. La deuxième lettre est la troisième lettre du mot de droite. La troisième lettre est la cinquième lettre du mot de gauche, et la quatrième lettre est la cinquième lettre du mot de droite.

Formation de mots

Exemple : Trouvez un mot de quatre lettres qui forme un mot différent avec chaque lettre (ou paire de lettres) initiale.

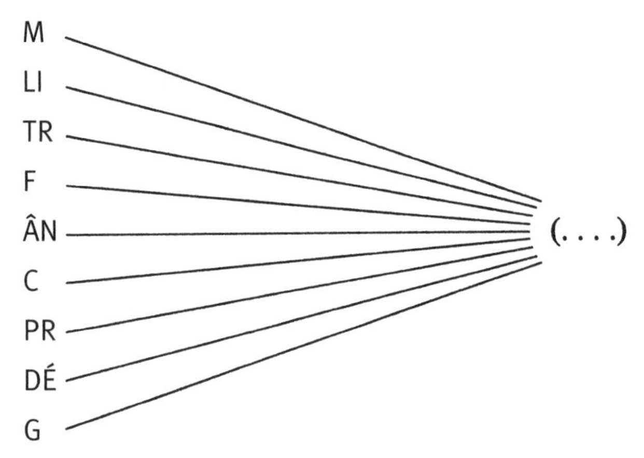

Réponse : ESSE, pour former messe, liesse, tresse, fesse, ânesse, cesse, presse, déesse et gesse.

La liste ci-dessus est, bien sûr, loin d'être complète. Plusieurs types de questions uniques exigent l'application des pensées logique et latérale. Les exemples présentés dans les tests du livre vous aideront à développer des méthodes de pensée logique nécessaires à leur résolution.

Voici quelques questions non verbales (spatiales) utilisées dans les tests de Q.I. :

Matrice

Généralement, on vous présente un tableau de neuf cases, dont celle du bas à droite est vide, et une liste de possibilités de réponse. Il faut examiner le tableau dans son ensemble, ou parcourir chaque colonne et chaque rangée, pour trouver la configuration ou la progression logique des figures.

Exemple :

Réponse : Chacune des rangées et des colonnes contient un cercle, un carré et un triangle. Chacune d'elles renferme aussi une figure noire, blanche et hachurée.

L'intrus

Exemple : Qui est l'intrus?

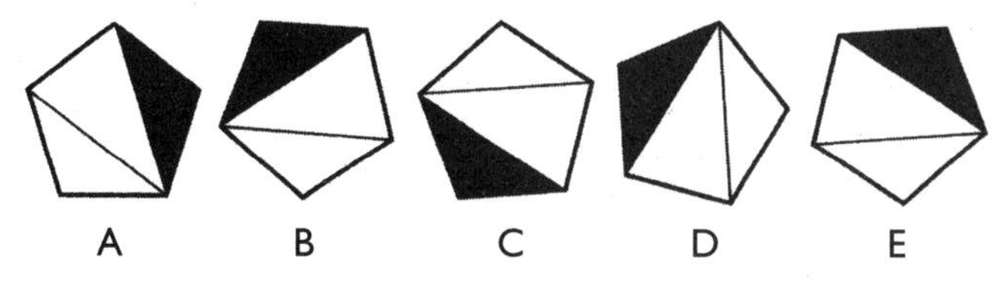

Réponse : B. Les quatre autres sont la même figure après rotation.

Analogie

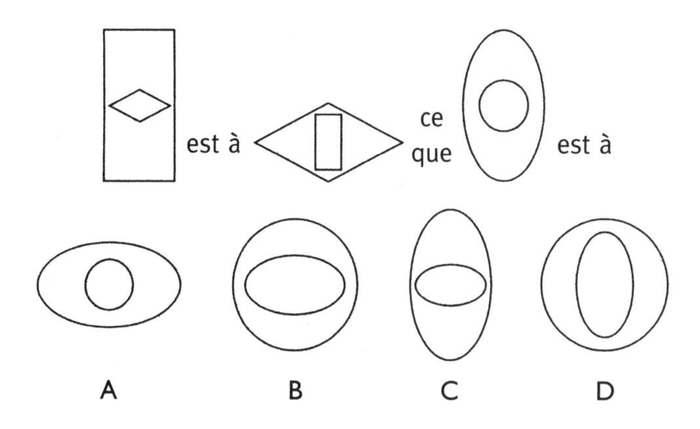

Réponse : D. Le rectangle demeure vertical, mais rapetisse. Il s'insère dans le losange qui s'agrandit. Ainsi, l'ellipse reste verticale, mais rapetisse, et va dans le cercle qui s'agrandit.

Série

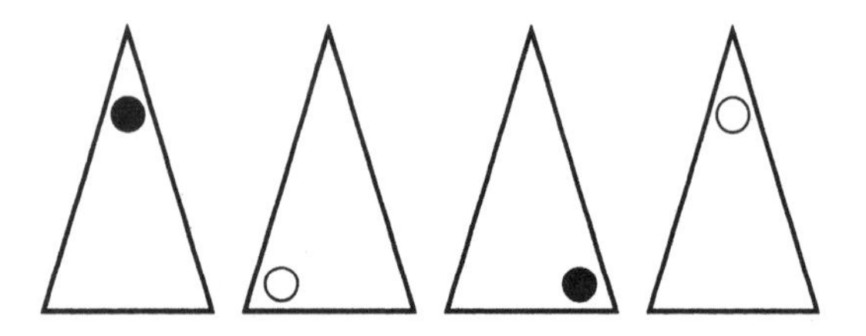

Exemple : Quelle figure complète la série ci-dessus?

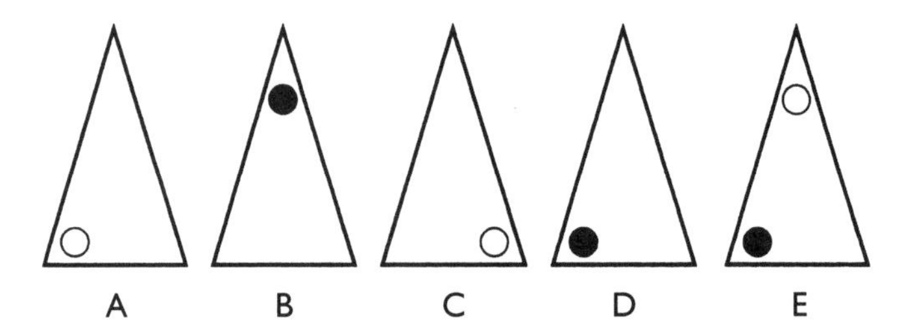

Réponse : D. Le point passe dans chaque angle du triangle dans le sens antihoraire et devient tour à tour noir, puis blanc.

À l'instar des exemples verbaux, cette liste n'est en aucun cas complète, mais une sélection de types de questions que vous pourriez rencontrer. Il y aura, bien sûr, de nombreuses variantes de ces exemples, beaucoup d'autres types de questions et des questions uniques, où l'application des pensées logique et latérale sera aussi nécessaire.

Quelle est l'importance du Q.I. ?

Les cyniques diront que posséder un Q.I. élevé ne prouve qu'une chose : l'individu a obtenu un bon résultat à un test d'intelligence. Un test de Q.I. demeure toutefois la seule méthode de mesure de l'intelligence connue et éprouvée. Étant donné que tous les tests comportent des lacunes techniques, il est essentiel que les résultats soient vus seulement comme un type d'information sur un individu. Néanmoins, il faut insister sur le fait que les tests de Q.I. sont devenus monnaie courante. Une compétence aux tests de Q.I. peut améliorer grandement les perspectives d'emploi d'une personne et lui donner un meilleur départ dans la carrière choisie.

Bien que désirable, un Q.I. élevé n'est pas la seule clé du succès. Les caractéristiques telles que l'ambition, la personnalité, le tempérament et même la compassion sont aussi, sinon plus, essentielles.

COMMENT UTILISER CE LIVRE

Ce livre contient cinq tests distincts, chacun composé de quarante questions. Le niveau de difficulté des tests est à peu près le même. Vous trouverez une valeur approximative de Q.I. pour chaque test, ainsi qu'une valeur cumulative pour les cinq tests.

Un temps limite de quatre-vingt-dix minutes est alloué pour chaque test. Les bonnes réponses se trouvent à la fin de chaque test – comptez un point par bonne réponse. Dans certains cas, une explication vous permettra de revoir la question d'un nouvel œil si vous avez donné une mauvaise réponse.

Utilisez les tableaux suivants pour évaluer votre Q.I. :

Un test :

SCORE	RÉSULTAT	Q.I. APPROX.
36-40	Exceptionnel	140+
31-35	Excellent	131-140
25-30	Très bien	121-130
19-24	Bien	111-120
14-18	Moyen	90-110

Cinq tests :

SCORE	RÉSULTAT	Q.I. APPROX.
176-200	Exceptionnel	140+
156-175	Excellent	131-140
126-155	Très bien	121-130
96-125	Bien	111-120
70-95	Moyen	90-110

TEST UN

1. Qui est l'intrus ?

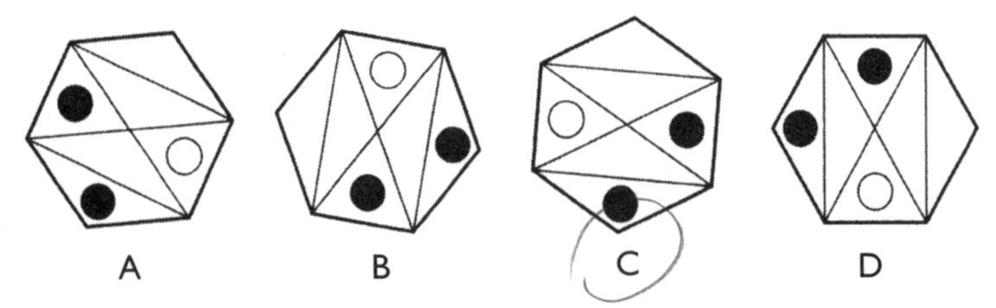

2. Quels deux mots se prononçant de la même façon, mais s'écrivant différemment, signifient :

a) ustensile de ménage

b) danse

3. Quel nom de créature, lu de haut en bas entre les parenthèses, permet de former des mots de trois lettres en s'ajoutant à celles de gauche ?

LA ( )
AR ( )
GI ( )
SP ( )
MU ( )
AM ( )

4. Quelle est la somme des chiffres des faces opposées de ces dés ?

a) 18

b) 19

c) 20

d) 21

e) 22

5. Insérez les lettres dans les espaces vides pour compléter deux mots ayant le même sens que le mot au-dessus d'eux.

BCCEEEÉNGLRRU

SOMBRE — RÉPÉTITION

- - - U - R - — - - - U - R - - - - -

6. Trouvez un mot ayant le même sens que les deux mots hors des parenthèses.

but (....) ténu

7. Quel cube obtenez-vous après avoir replié la figure ci-contre ?

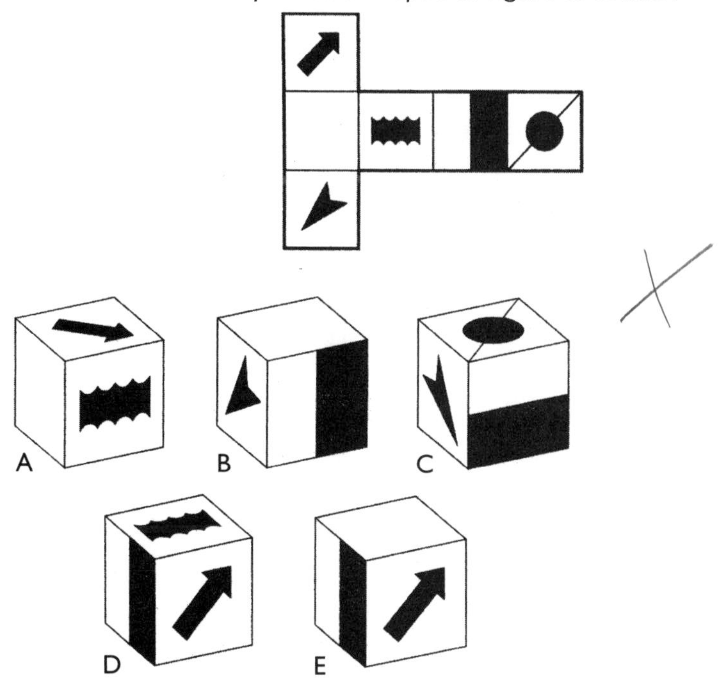

8. Trouvez les deux mots dont le sens se rapproche le plus :

juvénile, gamin, péquenaud, galopin, subalterne, malfaiteur

9. FORCE est à MÉTIER ce que

INGÉNIOSITÉ est à tact, impasse, prouesse, aptitude, artifice

10. Trouvez l'anagramme en un mot de : LIT PEU

11.

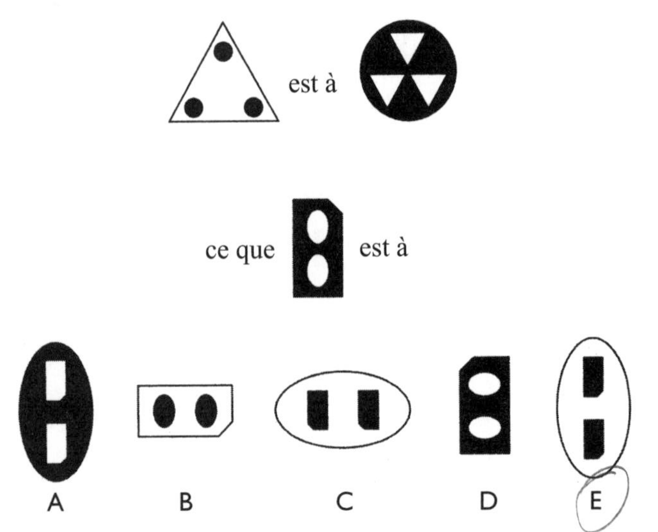

12. Quel mot entre parenthèses est le contraire de celui en majuscules?

FERME (salin, flexible, clair, alerte, net)

13. Une fois placé entre les parenthèses, quel terme complète le premier mot et commence le second?

PERS (....) LUSTRE

14. ARACHNOPHOBIE est aux ARAIGNÉES ce que

AILUROPHOBIE est aux chats, vers, abeilles, serpents, chevaux

15. Quel nombre complète cette série?

74823, 22446, 13464, ?

16. Quel mot entre parenthèses est le contraire de celui en majuscules?

OPTIMUM (morose, minimal, obligatoire, distant, proche)

17. Quel mot de quatre lettres peut s'ajouter à chaque paire de lettres pour former trois nouveaux mots?

PL
SU (. . . .)
OV

18. Quel est l'ingrédient qui fait toujours partie de :

PRALINE

cerises, noix, réglisse, fraises, pâte d'amandes

19. Quel mot a le même sens que celui en majuscules ?

TERTRE

butte, nœud, crâne, noueux, ravin

20. Qu'est-ce qu'une barrique ?

a) un âne
b) un os
c) un fût
d) un canon
e) une mule

21. Trouvez le terme qui complète le premier mot et commence le second.

maître (....) dent

22.

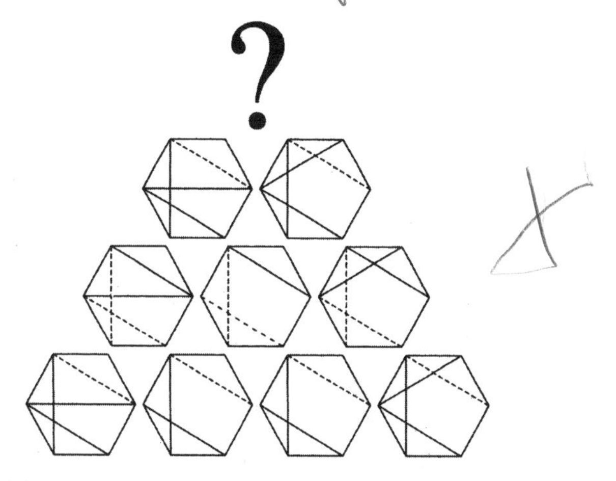

Quel est l'hexagone manquant au sommet de la pyramide ?

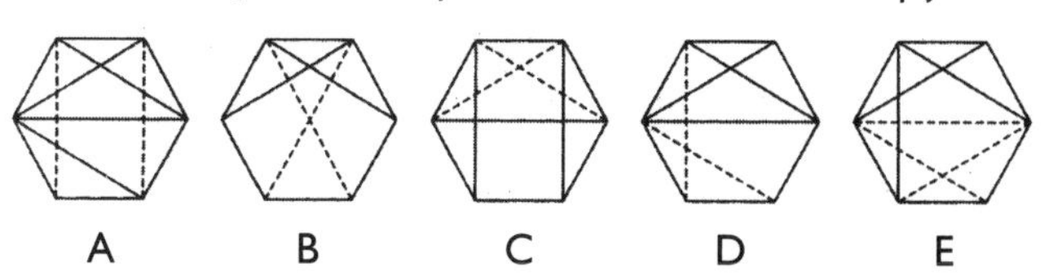

23. Quelle est la figure manquante dans le coin inférieur droit ?

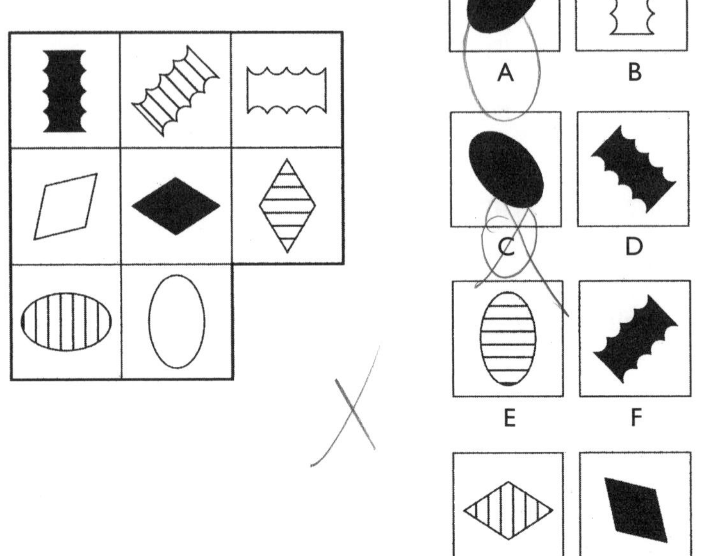

24. Quel mot peut se placer devant les autres pour former quatre nouveaux mots ?

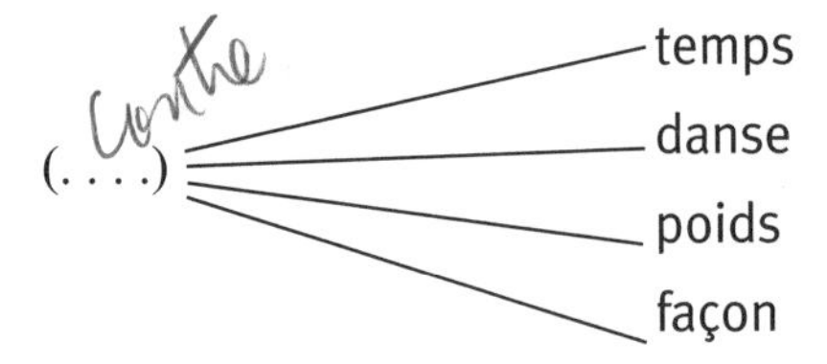

25. Trouvez l'anagramme en un mot de :

TERRE DURE

26. Réunissez deux blocs de trois lettres pour former le nom d'une pierre.

NET CON ZIR DIA GAN OPA

27. Trouvez les deux mots dont le sens se rapproche le plus.

partisan, conseil, estimation, conclave, dotation, miroir

28. Qui est l'intrus ?

clairon, florin, piccolo, ukulélé, cithare

29. Quel est le carreau manquant?

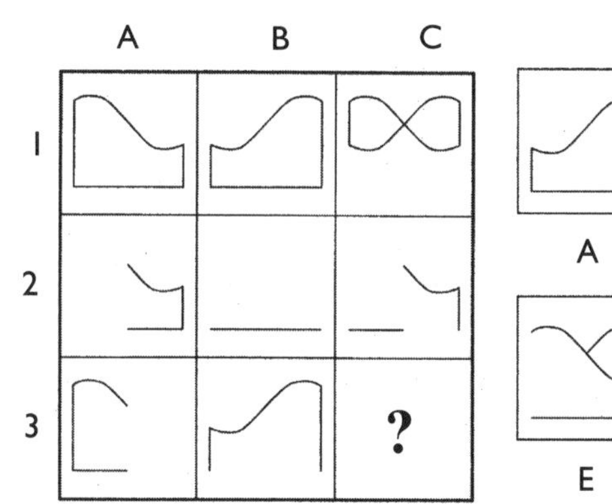

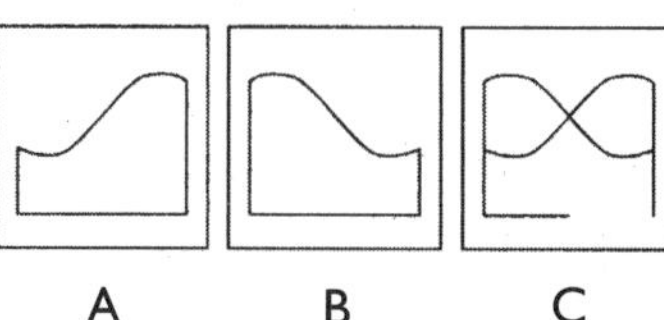

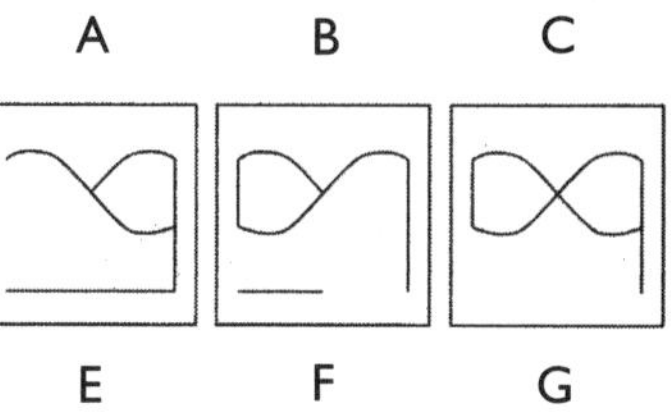

30. Quel nombre complète cette série?
3 – 7 – 16 – 32 – 57 –?

31. Quel nom de créature, lu de haut en bas entre les parenthèses, permet de former des mots de trois lettres en s'ajoutant à celles de gauche?

NE ( )
BO ( )
FE ( )
SA ( )
DU ( )
TO ( )

32. Quels sont les deux mots dont le sens s'oppose?
sérieux, malade, ralenti, capricieux, tranquille, mince

33. Quelle figure complète cette série?

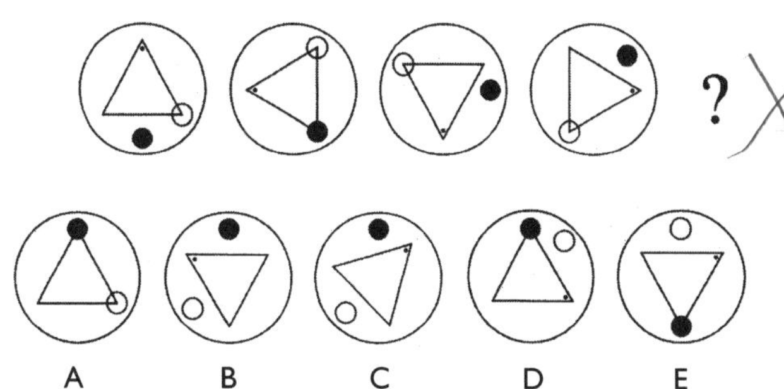

34. Lequel de ces articles ne peut être porté?

ISCHMEE
LOOSBUN
OURTTIE
QAUCASE
TRACHOD

35. Trouvez un mot ayant le même sens que les mots hors parenthèses.

déficience (?) désavantage

36. Réunissez trois blocs de deux lettres pour former le nom d'un chien.

CH EL ON TE XE BI

37.

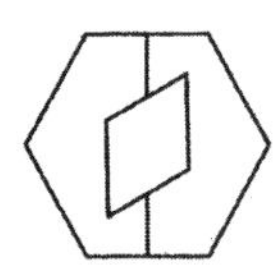  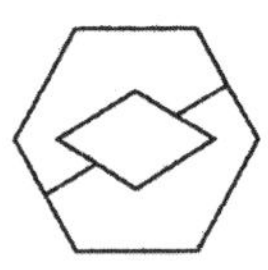 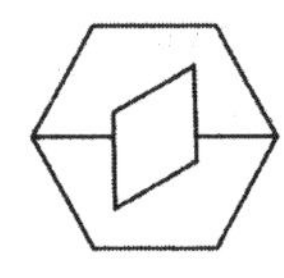

Quelle figure complète la série ci-dessus?

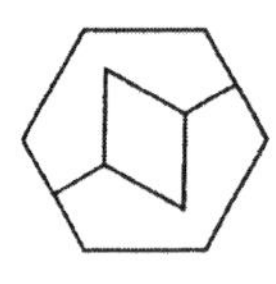 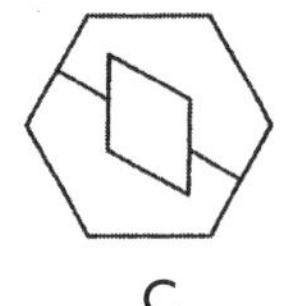 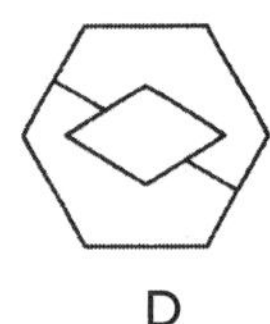 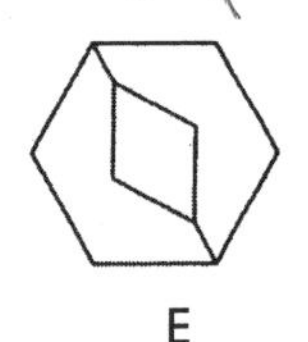

A B C D E

38. Lequel de ces mots ne désigne pas une personne?

médium, jaconas, ascète, orateur, savant

39. Quelle est la surface totale des formes tracées?

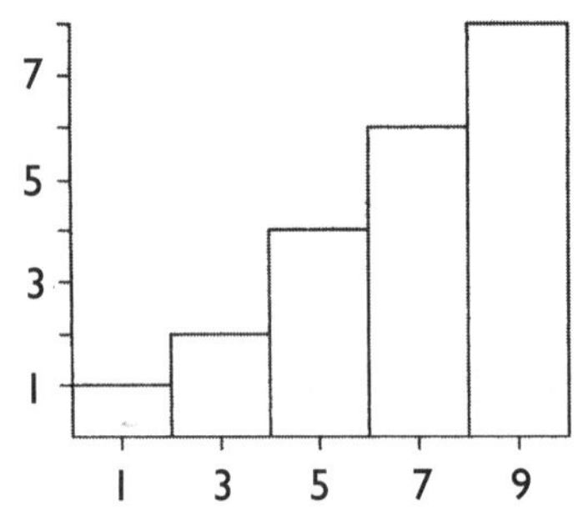

a) 40
b) 42
c) 44
d) 46
e) 48

40. Chacune des neuf cases de la grille numérotées de 1A à 3C devrait contenir toutes les lignes et tous les symboles des cases de la rangée du haut et de la colonne de gauche, qui portent sa lettre et son numéro. Par exemple, 2B devrait comprendre les lignes et symboles qui sont en 2 et en B. L'une de ces cases est incorrecte. Laquelle?

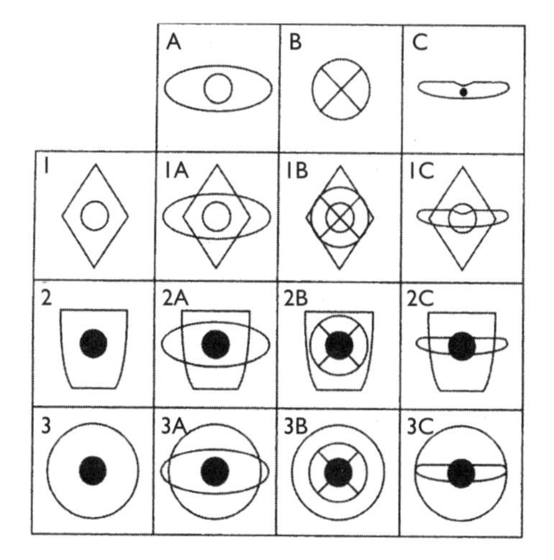

RÉPONSES – TEST UN

1. C. Les autres sont la même figure après rotation.

2. a) balai b) ballet

3. CANARI : pour former lac, ara, gin, spa, mur et ami.

4. c) 20 : la somme des faces opposées d'un dé est toujours égale à 7, donc
$6 + 2 + 3 + 4 + 5 = 20$

5. lugubre, récurrence

6. fin

7. A

8. gamin, galopin

9. artifice

10. tulipe

11. E. Le rectangle avec le coin manquant bascule vers le bas et se dédouble. Les deux rectangles vont dans l'ellipse, dans la même position qu'étaient les ellipses dans le rectangle. L'ellipse reste blanche et les rectangles restent noirs.

12. flexible

13. IL : pour former persil et illustre.

14. chats : l'arachnophobie est la peur des araignées et l'ailurophobie, celle des chats.

15. 5384 :
7482 X 3 = 22 446
2244 X 6 = 13 464
1346 X 4 = 5384

16. minimal

17. AIRE : pour former plaire, suaire, ovaire.

18. noix

19. butte

20. c) un fût

21. chien

22. D. Le contenu de chaque hexagone est déterminé par les contenus des deux hexagones du dessous. Les contenus sont fusionnés de la façon suivante : lorsqu'une seule ligne apparaît, pointillée ou pleine, elle est reportée; lorsque deux lignes pleines apparaissent dans la même position, elles sont reportées mais deviennent pointillées; lorsque deux lignes pointillées apparaissent dans la même position, elles sont reportées mais deviennent pleines.

23. A. Dans chacune des rangées et des colonnes, il y a une figure à la verticale, en diagonale et à l'horizontale ainsi qu'une figure noire, hachurée et blanche. Les rangées contiennent la même figure et les colonnes contiennent chacune des trois figures.

24. contre

25. déterreur

26. zircon

27. conseil, conclave

28. florin : une ancienne unité monétaire; les autres sont des instruments de musique.

29. E :
col. A + col. B = col. C
ligne 1 + ligne 2 = ligne 3
Les parties semblables de symboles disparaissent.

30. 93 (différences entre les nombres : 2^2, 3^2, 4^2, 5^2, 6^2)

31. FAUCON : pour former nef, boa, feu, sac, duo et ton.

32. sérieux, capricieux

33. A.
Le triangle fait une rotation de 90 degrés dans le sens antihoraire.
Le ● fait une rotation de 45 degrés dans le sens antihoraire.
Le ○ fait une rotation de 90 degrés dans le sens antihoraire.

34. OURTTIE = TOITURE.
Les articles qui peuvent être portés sont : chemise, blouson, casaque et tchador.

35. handicap

36. bichon

37. C. Le losange tourne dans le sens antihoraire, en pointant vers le prochain coin (ou paire de coins) à chaque déplacement. La ligne tourne dans le sens horaire, en passant tour à tour entre deux coins, puis dans un coin.

38. jaconas : une étoffe de coton.

39. b)
42 = (21 X 2) = (1 X 2) + (2 X 2) + (4 X 2) + (6 X 2) + (8 X 2)

40. 1C

TEST DEUX

1.

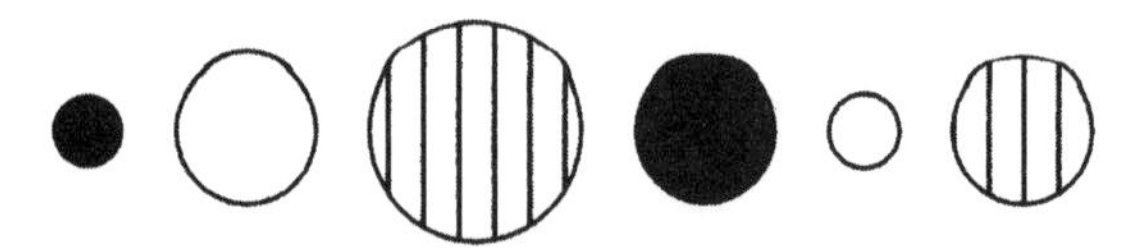

Quelle figure complète la série ci-dessus ?

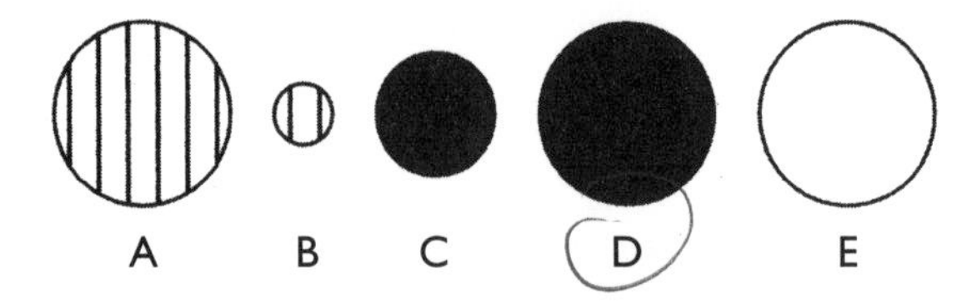

2. Examinez la liste de mots suivante :
AFIN, DENT, CINQ, FILM, HORS

Maintenant, choisissez parmi les mots suivants celui qui, selon vous, a un point commun avec eux :
VASE, FLOT, PART, JOUE, DAME, ABRI

3. Plusieurs antonymes du mot clé sont présentés. Prenez une lettre de chacun d'eux pour former un autre antonyme du mot clé. Les lettres apparaissent dans le bon ordre.

Mot clé : FRANC

Antonymes : TROMPEUR, FOURBE, SOURNOIS, HYPOCRITE, PERFIDE, FAUX, TRAÎTRE

4. Qui est l'intrus ?
cornée, pupille, lobe, iris, cristallin

5. Quel nombre complète cette série ?
123, 117, 108, 99, ?

6. Trouvez l'anagramme en un mot de :
GANT RIEUR

7.

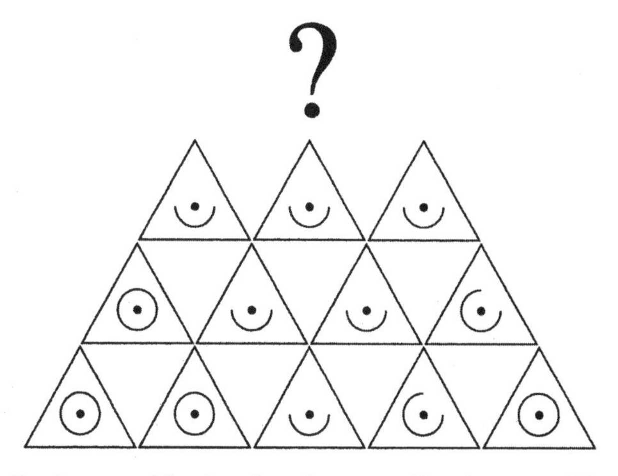

Quel ensemble de triangles complète la pyramide?

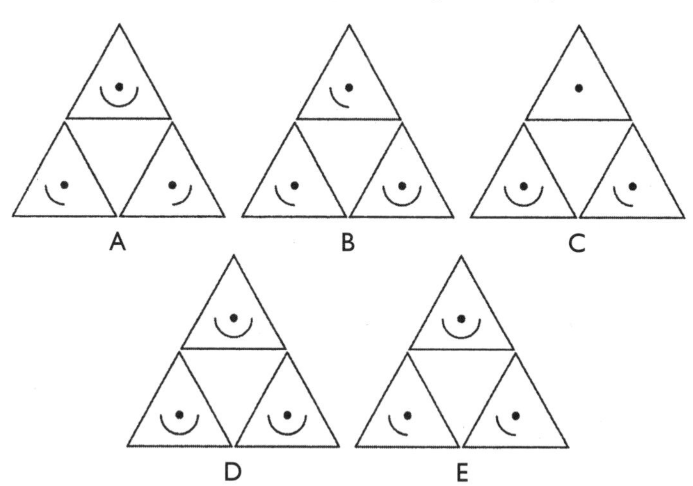

8. Lequel de ces mots ne désigne pas une couleur?

AGNETAM
SMORAIE
CANTRAIN
SIMOCRAI
CÉREALAT

9. IDÉAL est à PRINCIPE ce que
IDIOME est à imbécile, déité, torpeur, langage, jeton

10. Lequel des cinq carrés de droite a le plus en commun avec le carré de gauche ?

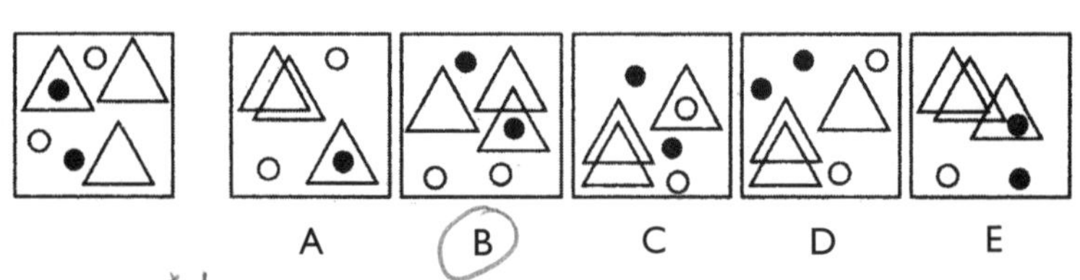

11. A B C D E F G H

Quelle lettre est immédiatement à droite de la deuxième lettre à droite de celle immédiatement à gauche de la troisième lettre à droite de la lettre C ?

12. Quelle créature va entre les parenthèses ?

LIE (POU) MON

BAL (...) MOULU

13. Quel mot entre parenthèses est le contraire de celui en majuscules ?

OPULENT (maussade, indigent, gentil, étroit, uniforme)

14. Quel chiffre devrait remplacer le point d'interrogation ?

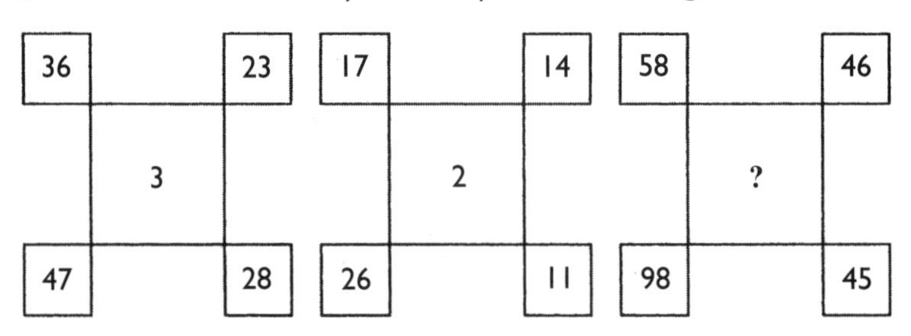

15. Qui est l'intrus ?

rabbin, shaman, nonce, doyen, insurgé

16. Quel est l'ingrédient qui fait toujours partie du :

CURAÇAO

lait, citron, orange, café, gingembre

17. Quel domino complète cette série?

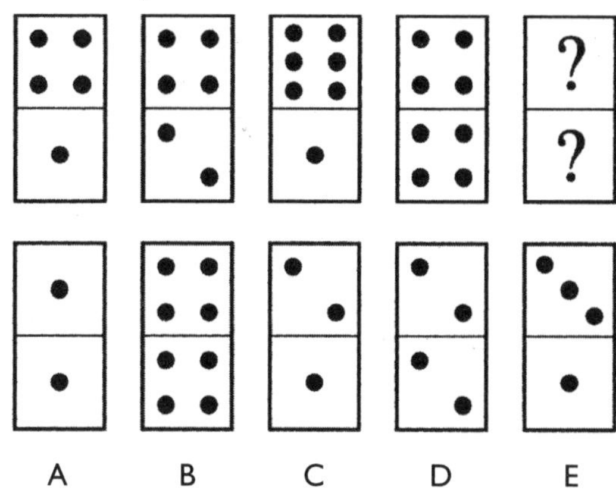

18. Lequel de ces mots ne désigne pas une arme?

tromblon, trique, stylet, matraque, despote

19. Trouvez le mot correspondant aux définitions hors des parenthèses.

coup de poing (?) brun

20. Trouvez l'anagramme en un mot de :

QUI EST MOU

21.

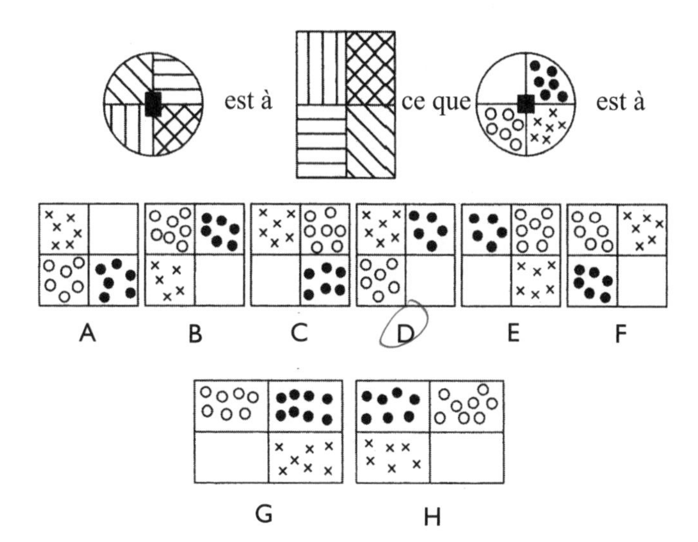

22. Lequel de ces morceaux forme un carré parfait en s'emboîtant dans celui-ci-contre?

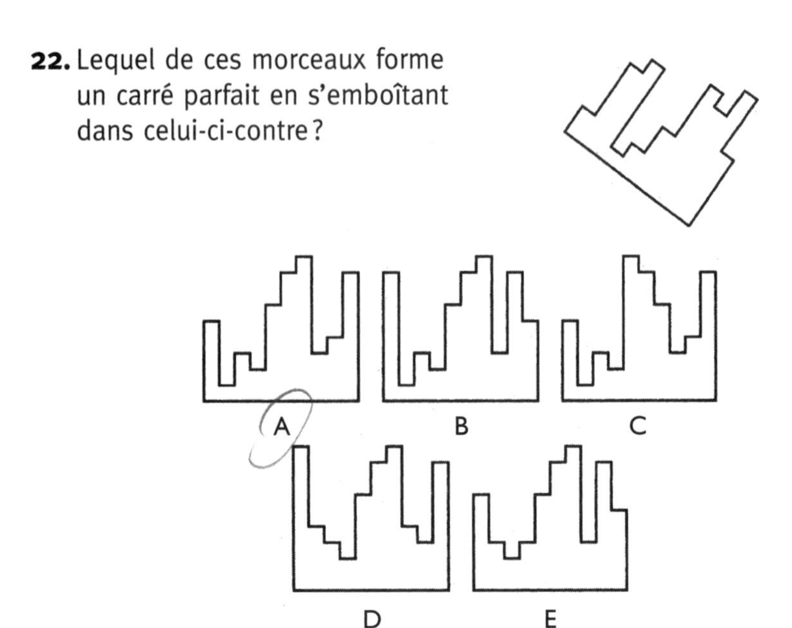

23. Trouvez le terme qui complète le premier mot et commence le second.
contre (....) pied

24. Trouvez le mot ayant le même sens que :
MÉGÈRE
scarabée, vierge, truie, harpie, bonasse

25. Quels sont les deux mots dont le sens s'oppose?
colossal, liberté, vassalité, délicat, tendu, hélicoïdal

26.

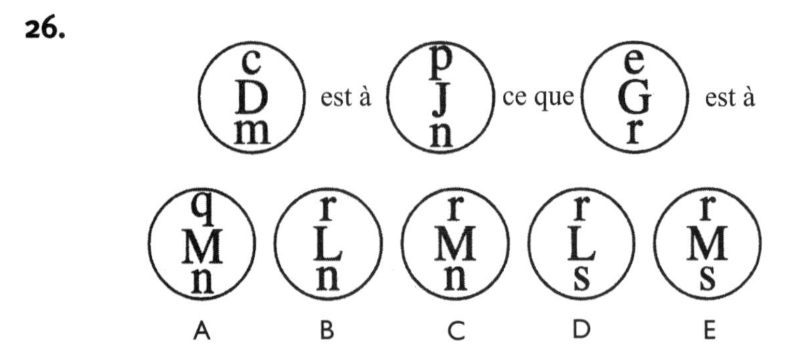

27.

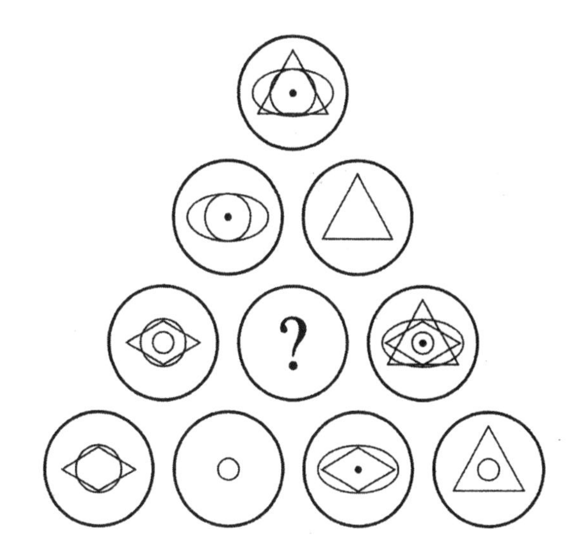

Quelle figure s'insère dans le cercle du centre pour compléter la série?

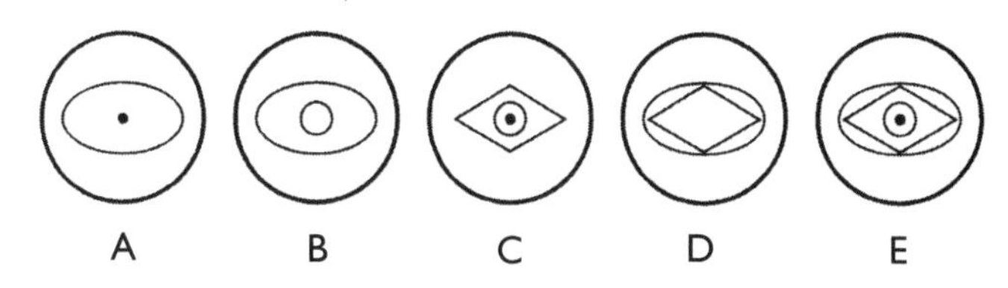

28. Quel mot entre parenthèses a le même sens que celui en majuscules?

ABORIGÈNE (basic, Australien, autochtone, opposé, nomade)

29. Qui est l'intrus?

supra-, cata-, super-, hyper-, sus-

30. Quel mot se place entre parenthèses?

NON (NIER) CÉLERI

DOS (....) DOMINO

31. Réunissez trois blocs de deux lettres pour former le nom d'une robe ample.

NO RI MO SA GE KI

32. Quelle forme devrait remplacer le point d'interrogation ?

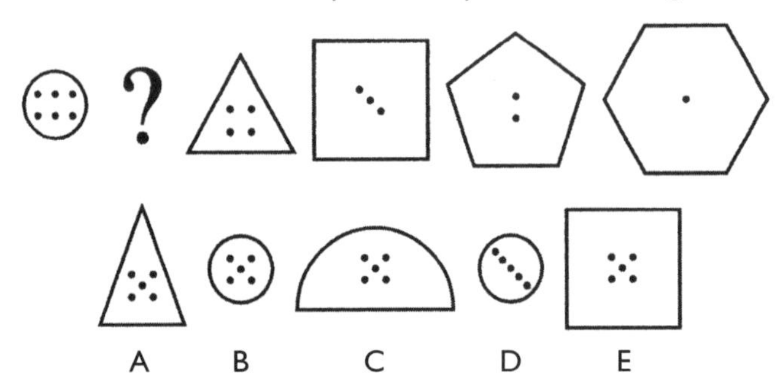

33.

A	E	J
D	?	M
H	L	Q

Quelle lettre devrait remplacer le point d'interrogation ?

34. Quel mot peut se placer devant les autres pour former quatre nouveaux mots ?

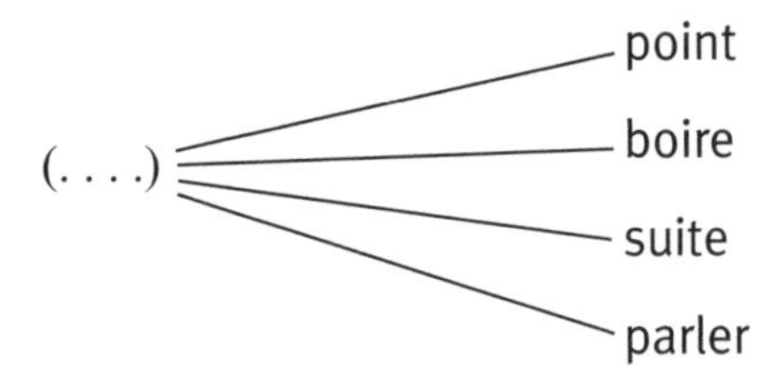

35.

Quelle figure ci-dessous devrait remplacer le point d'interrogation ?

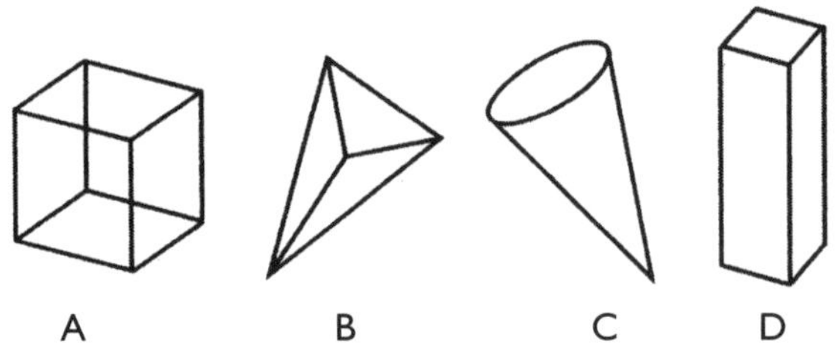

36. Si le dé roule d'une face dans la case 2, puis toujours d'une face à la fois dans les cases 3-4-5-6, quel chiffre apparaîtra sur le dessus du dé dans la case 6?

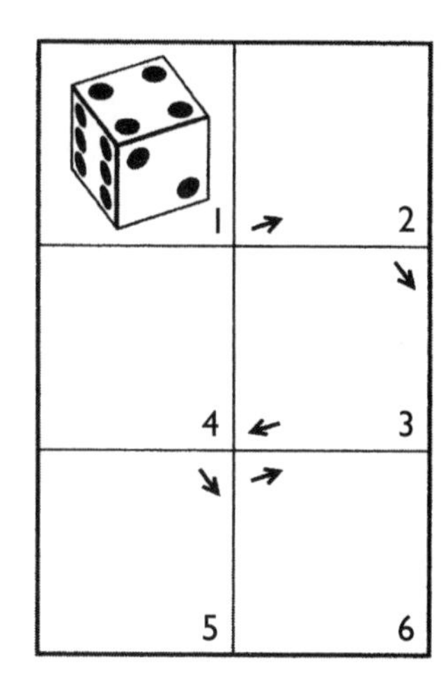

a) 1
b) 2
c) 3
d) 4
e) 5
f) 6

37. Quel nombre complète cette série?
5, 6, 8, 4, 12, 1, 17, ?

38. Comment appelle-t-on un groupe de chiens dressés pour la chasse à courre?

a) un troupeau
b) un cheptel
c) une troupe
d) une meute
e) une harde

39.

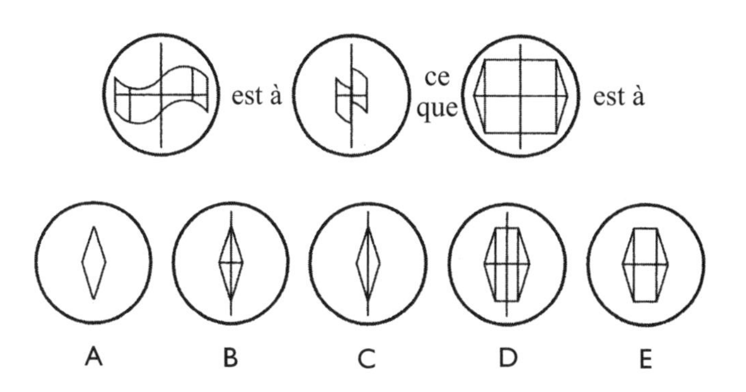

40. Chacune des neuf cases de la grille numérotées de 1A à 3C devrait contenir toutes les lignes et tous les symboles des cases de la rangée du haut et de la colonne de gauche, qui portent sa lettre et son numéro. Par exemple, 2B devrait comprendre les lignes et symboles qui sont en 2 et en B. L'une de ces cases est incorrecte. Laquelle?

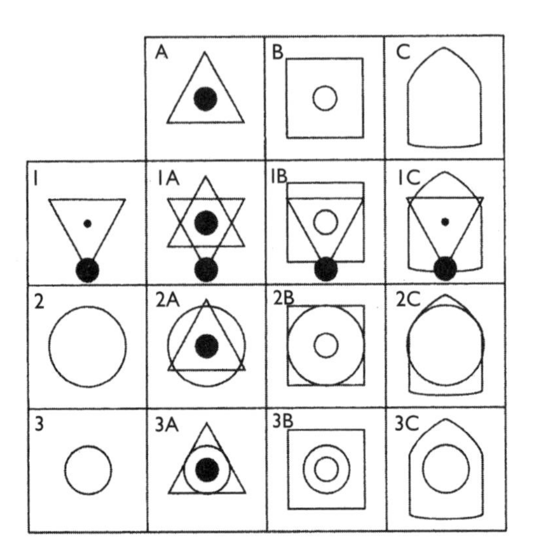

RÉPONSES – TEST DEUX

1. D. Il y a trois tailles de cercles, allant successivement de petit à grand, puis de grand à petit. Les cercles sont tour à tour noir, blanc et hachuré.

2. FLOT : tous les mots ont leurs lettres en ordre alphabétique.

3. menteur

4. lobe : une partie de l'oreille; les autres sont des parties des yeux.

5. 81 :
$123 - 6\ (1 + 2 + 3) = 117$
$117 - 9\ (1 + 1 + 7) = 108$
$108 - 9\ (1 + 0 + 8) = 99$
$99 - 18\ (9 + 9) = 81$

6. garniture

7. D. Le point est toujours reporté; cependant, seules les parties du cercle commun aux deux triangles du dessous sont reportées dans le triangle du dessus.

8. SMORAIE = ARMOISE
Les couleurs sont : magenta, incarnat, cramoisi et écarlate.

9. langage

10. B. Il contient trois triangles, deux points noirs et deux points blancs, et un des points noirs est dans un triangle.

11. H

12. VER : pour former verbal et vermoulu.

13. indigent

14. 4 :
$47 - 23 = 24$, $36 - 28 = 8$, $24 \div 8 = 3$
$26 - 14 = 12$, $17 - 11 = 6$, $12 \div 6 = 2$
$98 - 46 = 52$, $58 - 45 = 13$, $52 \div 13 = 4$

15. insurgé : les autres sont tous des officiels.

16. orange

17. C. Il y a deux séquences :

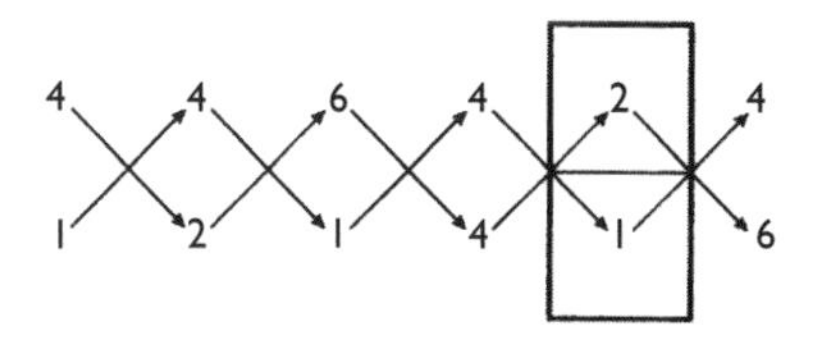

18. despote

19. marron

20. moustique

21. F. Les segments du cercle vont dans le carré de la façon suivante :
haut à gauche vers bas à droite,
haut à droite vers bas à gauche,
bas à gauche vers haut à gauche,
bas à droite vers haut à droite.

22. A

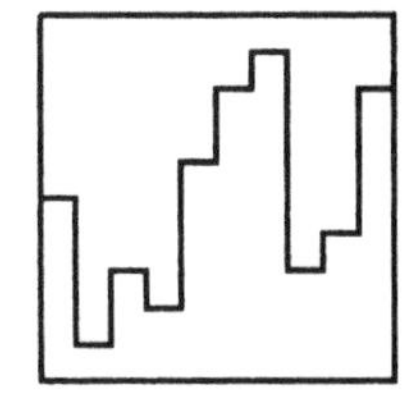

23. marche

24. harpie

25. liberté, vassalité

26. E. La lettre du haut avance de 13 lettres, celle du milieu de 6 lettres et celle du bas de 1 lettre.

27. E. Chaque cercle est obtenu en réunissant les deux cercles du dessous, mais les symboles semblables disparaissent.

28. autochtone

29. cata- : un préfixe signifiant au-dessous, les autres signifiant au-dessus.

```
          1    1234       342
30. SOIN : NON  (NIER)    CÉLERI

         DOS  (SOIN)   DOMINO
          1    1234       342
```

31. kimono

32. c. Chaque forme est composée de :
1 - 2 - 3 - 4 - 5 - 6 lignes
et 6 - 5 - 4 - 3 - 2 - 1 points.

33. H. Dans chaque colonne de haut en bas, sautez 2, puis 3 lettres. Dans chaque rangée de gauche à droite, sautez 3, puis 4 lettres.

34. pour

35. C. Le nombre de surfaces augmente d'un chaque fois, en commençant par une sphère (une surface). Le cône (choix C) a deux surfaces.

36. e) 5

37. –3. Il y a deux séries :
5, 8, 12, 17 (+3, +4, +5)
6, 4, 1, –3 (–2, –3, –4)

38. d) une meute

39. B. La forme à l'intérieur se contracte des deux côtés vers la ligne verticale.

40. 1B

TEST TROIS

1. Qui est l'intrus?

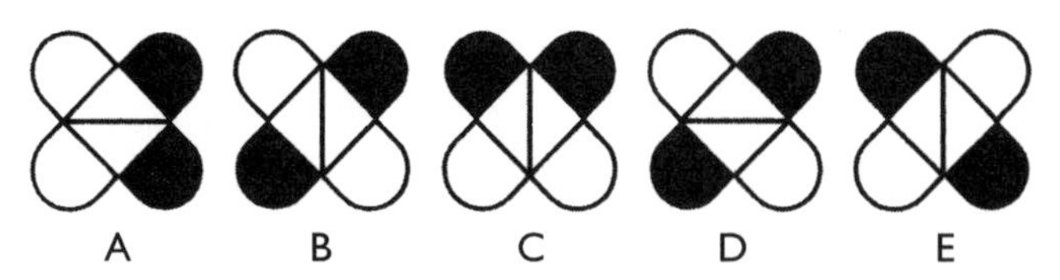

2. Plusieurs synonymes du mot clé sont présentés. Prenez une lettre de chacun d'eux pour former un autre synonyme du mot clé. Les lettres apparaissent dans le bon ordre.

Mot clé : MOTIVER
Synonymes : ENCOURAGER, INSPIRER, INCITER, STIMULER, JUSTIFIER, POUSSER

3. ÉTOILE est à STELLAIRE ce que
CŒUR est à ovoïdal, cordé, aciculaire, cruciforme, anguleux

4. Une fois placé entre les parenthèses, quel terme complète le premier mot et commence le second?

SUR (....) TIGE

5. Insérez les lettres dans les espaces vides pour compléter deux mots ayant le même sens que le mot au-dessus d'eux.

ACEEGILNNOPRV

ROUGE   OPÉRATION

- - - M - L - - -   - - M - A - - -

6. MULTIPLIER est à PRODUIT ce que

DIVISER est à nombre, dénominateur, factoriel, quotient, numérateur

7. Trouvez le mot correspondant aux deux définitions hors des parenthèses.

instrument de musique (....) petite tumeur dure

8.

Quel est l'écusson manquant dans le coin inférieur droit?

9. Quel chiffre devrait remplacer le point d'interrogation?

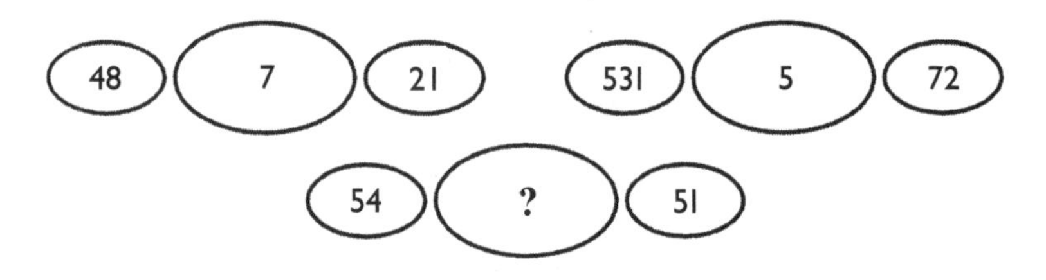

10. Placez les lettres de cette phrase dans le bon ordre pour trouver trois couleurs.

NE PAS JOUER UNE GRILLE

11. Trouvez l'anagramme en un mot de :

ON SE DÉLECTA

12. CONTREFORT est à CRÊTE ce que
ESCARPEMENT est à chaîne, pente, sommet, rocher, passe

13. Quel mot de quatre lettres peut s'ajouter à ces lettres pour former six nouveaux mots?

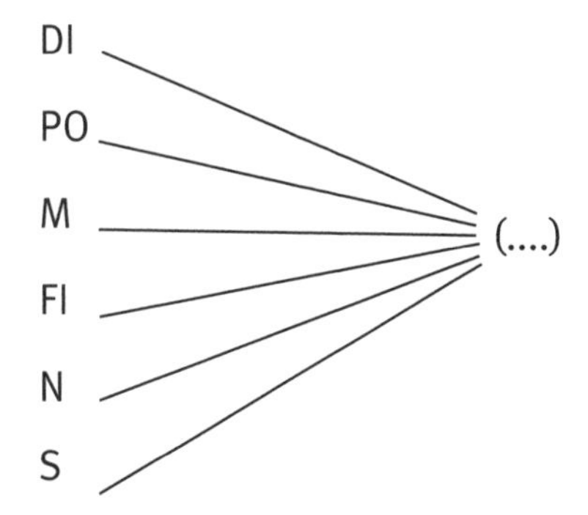

14. Trouvez les deux mots dont le sens se rapproche le plus.
halte, abolir, changer, supprimer, rejeter, détester

15. Deux mots dans les cercles sont des antonymes. L'un se lit dans le sens soit horaire, soit antihoraire dans le cercle extérieur, et l'autre se lit dans le sens opposé dans le cercle intérieur. Trouvez les lettres manquantes pour former les mots.

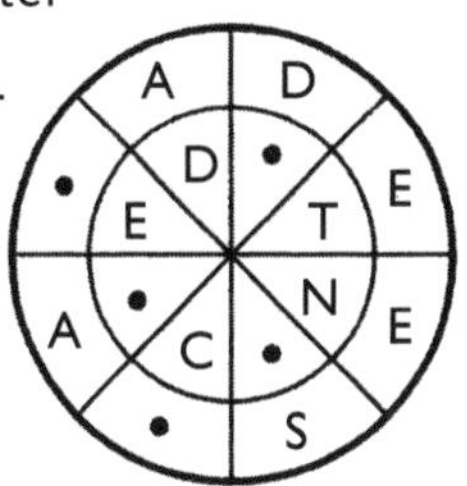

16. Quel chiffre écrit en toutes lettres complète cette série?
UN, TROIS, HUIT, DOUZE, DIX-SEPT, ?

17. Quel nom de créature s'insère entre les parenthèses?
couleur jaune clair (....) mammifère ruminant

18.

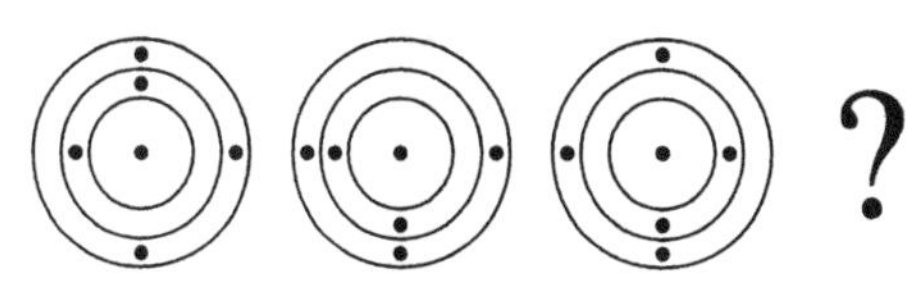

Quelle figure complète la série ci-dessus?

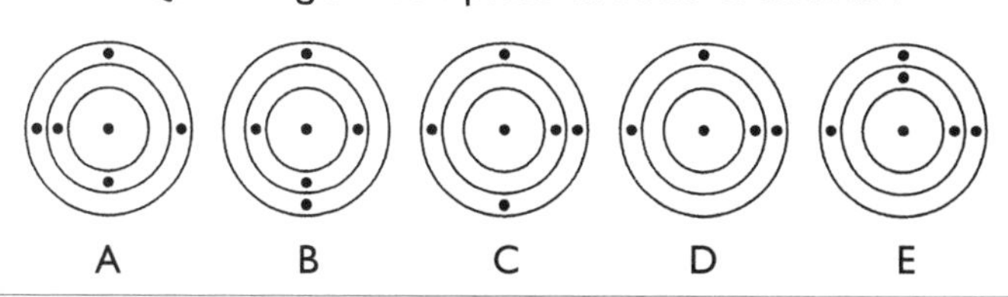

19. Quels sont les quatre morceaux qui, une fois assemblés, forment un carré parfait ?

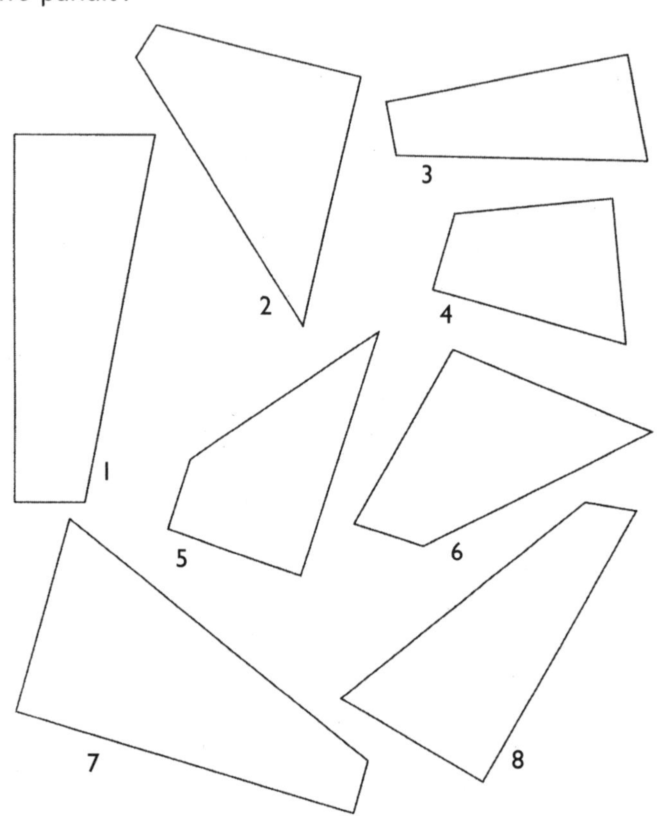

20. Quels sont les deux mots dont le sens se rapproche le plus ?

fontaine, lit, aquarium, coterie, colombes, clique

21. Trouvez le terme qui complète le premier mot et commence le second.

grec (...) nouille

22. Trouvez le mot ayant le même sens que :

RUBICOND
fluide, bague, doré, rougeaud, pétillant

23. Réunissez quatre blocs de deux lettres pour former un synonyme d'étouffer.

ER NU EI TÉ DR AT

24.

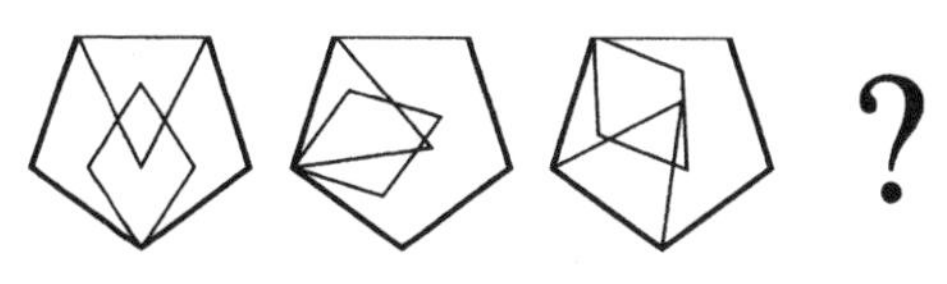

Quelle figure complète la série ci-dessus?

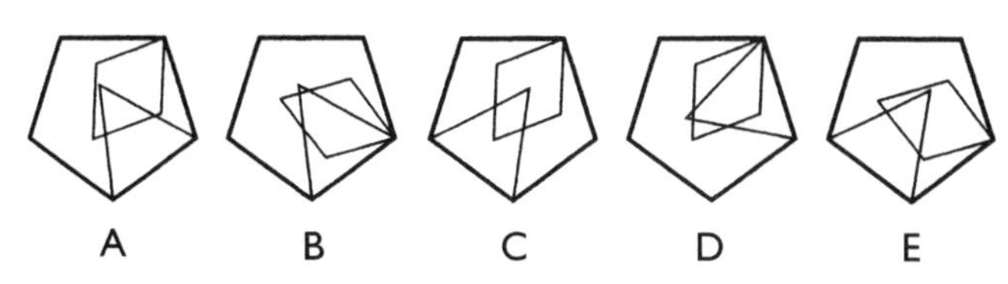

25. Trouvez la pièce qui fait toujours partie de :

FIANCHETTO

pion, reine, cavalier, tour, roi

26. Complétez cette série.

$6, -9, 13\frac{1}{2}, -20\frac{1}{4}, ?$

27. Lequel de ces mots n'est pas un terme du bâtiment?

meneau, voûte, atrium, belvédère, batik

28. Qui est l'intrus?

phaéton, landau, sulky, pousse-pousse, trimaran

29. Trouvez le mot correspondant aux deux définitions hors des parenthèses.

succès retentissant (....) bruit sourd

30.

Quelle lettre devrait logiquement compléter la série ci-dessus?

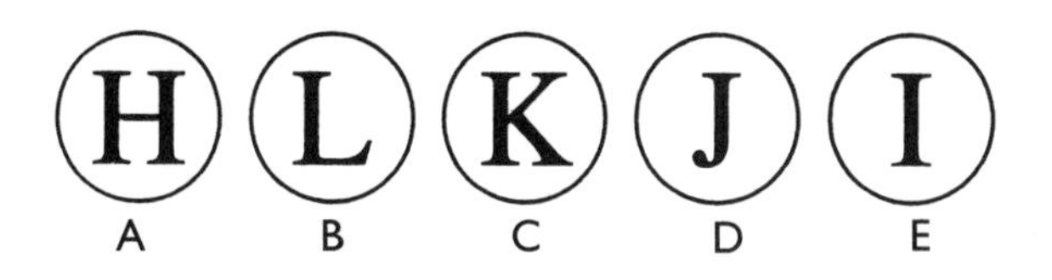

31. Les lettres du mot CONFIDENT occupent les cercles ci-contre. À partir de la flèche, en allant d'un cercle adjacent à un autre, de bas en haut et de gauche à droite, combien de fois pouvez-vous épeler CONFIDENT ?

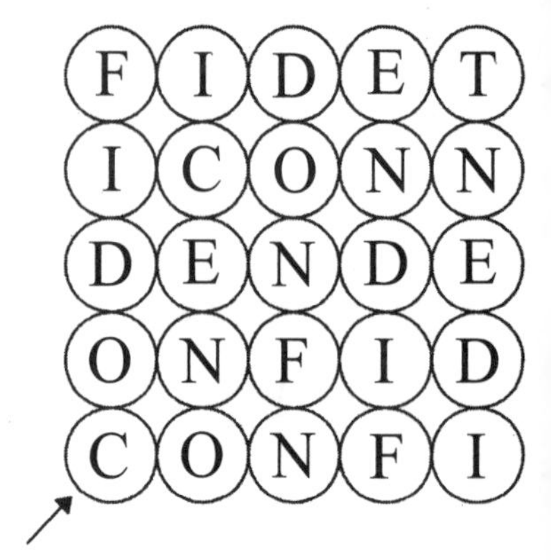

a) 7
b) 8
c) 9
d) 10
e) 11

32. Chaque ligne et symbole apparaissant dans les quatre cercles extérieurs ci-contre est transféré(e) dans le cercle central selon les règles suivantes :

Une ligne ou un symbole qui apparaît :

1 fois : est transféré(e)

2 fois : est possiblement transféré(e)

3 fois : est transféré(e)

4 fois : n'est pas transféré(e).

Lequel de ces cercles devrait apparaître au centre du diagramme ci-dessus ?

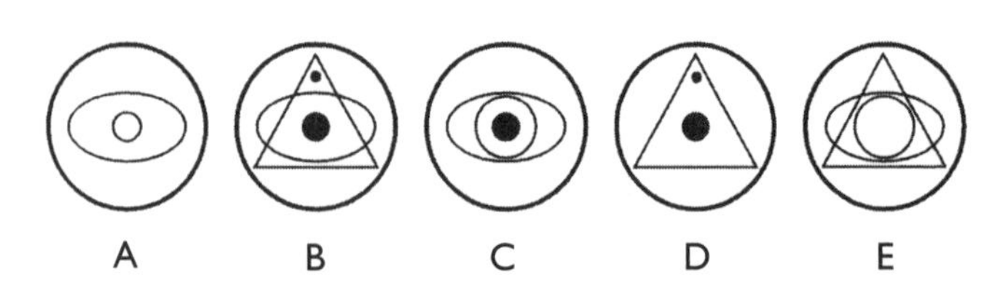

33. Qu'est-ce qu'une marquise?

a) un signet
b) une monnaie
c) une ombrelle
d) un auvent
e) un miroir

34. Plusieurs synonymes du mot clé sont présentés. Prenez une lettre de chacun d'eux pour former un autre synonyme du mot clé. Les lettres apparaissent dans le bon ordre.

Mot clé : INFINI
Synonymes : INCESSANT, SANS BORNE, CONSTANT, ÉTERNEL, ILLIMITÉ, SANS FIN, PERPÉTUEL, IMMENSE, INTERMINABLE

35.

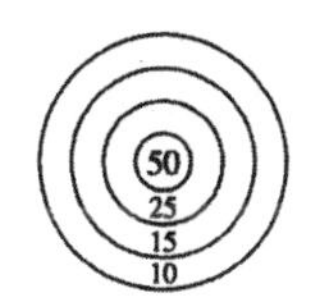

Un score de 245 est obtenu sur deux cibles. Lesquelles?

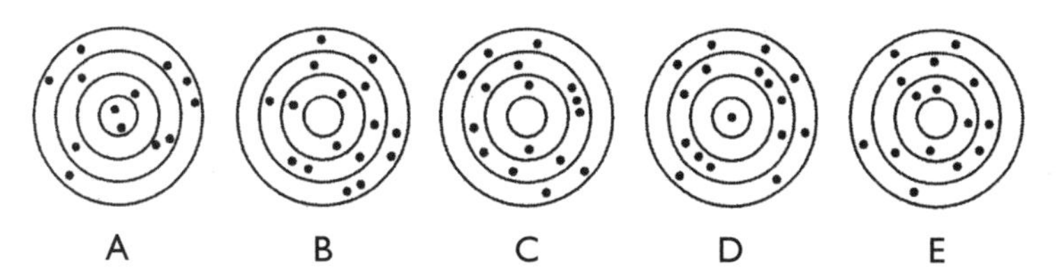

36. Quels sont les deux mots dont le sens s'oppose?

salubre, éclairer, mélodramatique, obombrer, articuler, bref

37. Quel mot peut se placer devant les autres pour former quatre nouveaux mots?

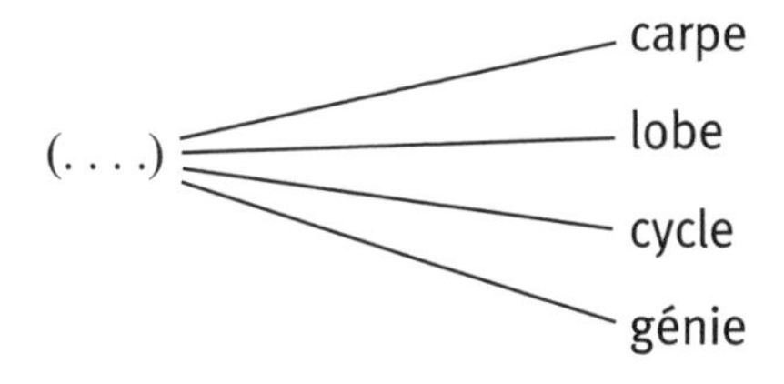

38. Trouvez l'anagramme en un mot de :

SONNE BIEN

39. Réunissez deux blocs de trois lettres pour former un mot désignant une puissance de feu.

ALE SAL FUS TIR RAF VOL

40.

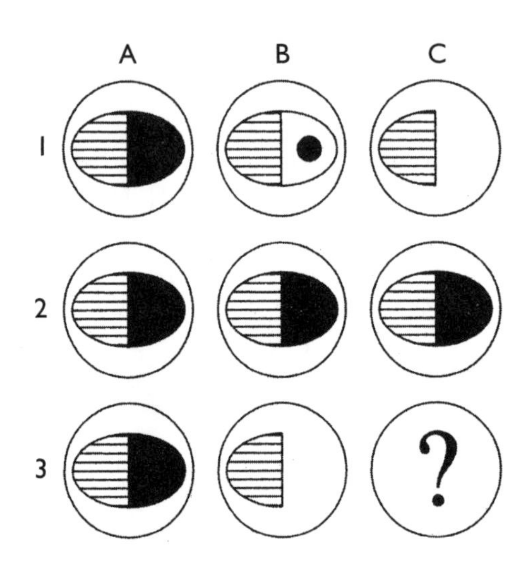

Quelle figure devrait logiquement se placer dans le cercle vide pour continuer la série ci-dessus?

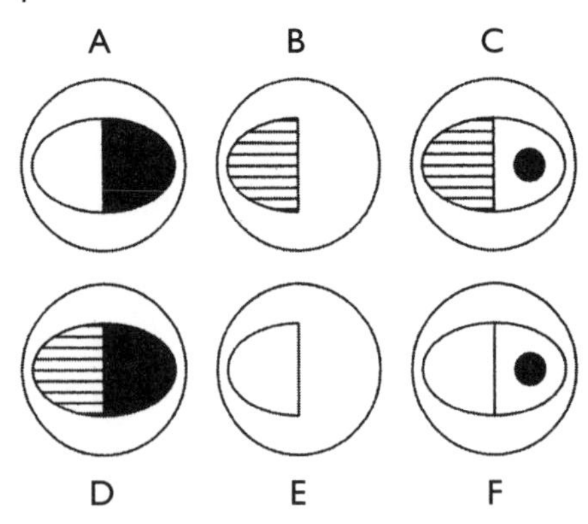

RÉPONSES – TEST TROIS

1. B. A est la même figure que C après rotation. D est la même que E après rotation.

2. animer

3. cordé : stellaire signifie en forme d'étoile et cordé, en forme de cœur.

4. VOL : pour former survol et voltige.

5. vermillon, campagne

6. quotient

7. cor

8. C. Verticalement et horizontalement, le contenu du troisième écusson est déterminé par ceux des deux premiers. Lorsqu'un symbole n'apparaît qu'une fois, il est simplement reporté. S'il apparaît deux fois, il est reporté mais subit une rotation de 180 degrés. (Il faut noter que lorsqu'un losange tourne de 180 degrés, sa forme ne change pas.)

9. 3. Inversez les chiffres des petites ellipses :

$84 \div 12 = 7$, $135 \div 27 = 5$,

$45 \div 15 = 3$

10. jaune, prune, groseille

11. adolescente

12. pente

13. ACRE : pour former diacre, polacre, macre, fiacre, nacre, sacre.

14. abolir, supprimer

15. escalade, descente

16. VINGT-QUATRE. Chaque fois, ajoutez le nombre de lettres du nombre écrit précédent.

DIX-SEPT a 7 lettres,
donc $17 + 7 =$ VINGT-QUATRE.

17. chamois

18. E. Les points du cercle extérieur tournent successivement de 90 degrés dans le sens horaire; les points du cercle intermédiaire tournent successivement de 90 degrés dans le sens antihoraire; et le point du cercle intérieur reste toujours au centre.

19.

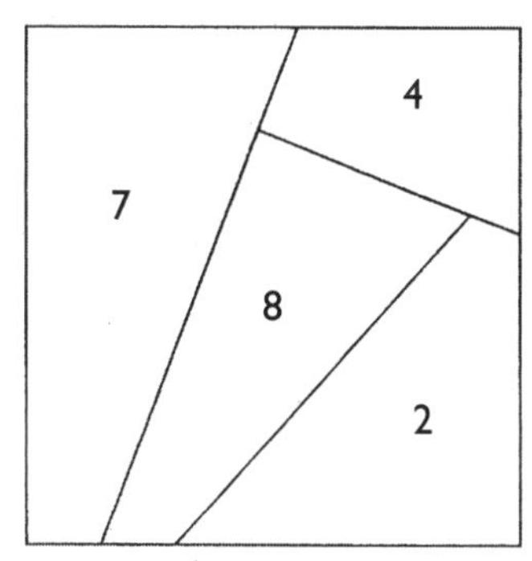

20. coterie, clique

21. que

22. rougeaud

23. atténuer

24. A. Le losange se déplace successivement dans chaque coin du pentagone dans le sens horaire. Le triangle se déplace successivement sur chaque côté du pentagone dans le sens antihoraire.

25. pion

26. 30
(multipliez par –1 chaque fois)

27. batik : motifs imprimés sur du tissu.

28. trimaran : les autres sont tous des véhicules terrestres.

29. boum

30. E. LETTRE I
W V **U** T S **R** Q P O **N** M L K J **I**

31. c) 9

32. C

33. d) un auvent

34. continuel

35. A et E

36. éclairer, obombrer

37. épi

38. bosnienne

39. rafale

40. B :
col. A + col. B = col. C
ligne 1 + ligne 2 = ligne 3
Seules les parties semblables sont reportées.

TEST QUATRE

1. Quelle est la figure manquante dans le coin inférieur droit?

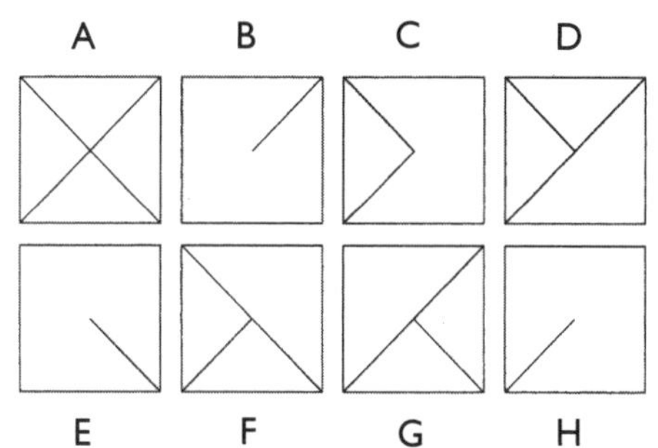

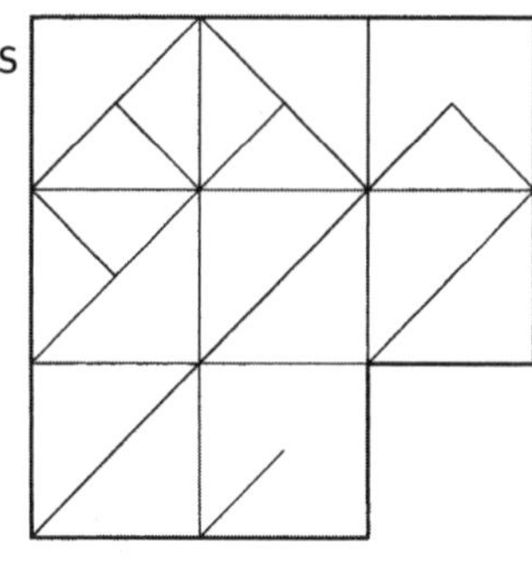

2. AIGRE-DOUX est à OXYMORON ce que
UNE ROSE EST UNE ROSE est à comparaison, métonymie, tautologie, syllogisme, syllepse, hyperbole

3. Trouvez les deux mots dont le sens s'oppose.

corruption, récrimination, rédemption, aliénation, rectitude, vol

4. Deux mots dans les cercles sont des antonymes. L'un se lit dans le sens soit horaire, soit antihoraire dans le cercle extérieur, et l'autre se lit dans le sens opposé dans le cercle intérieur. Trouvez les lettres manquantes pour former les mots.

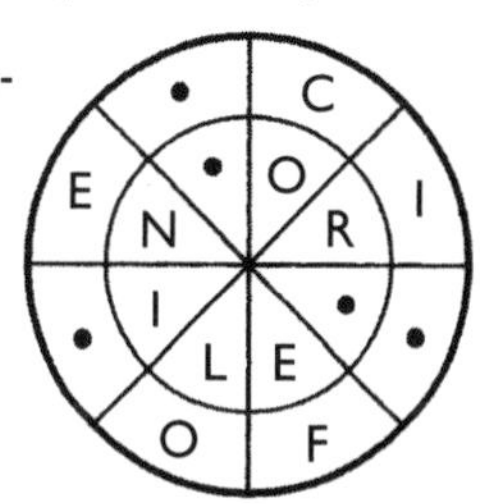

5. Trouvez l'anagramme en un mot de :

COMMENT PLIER

6. SOUCIEUX est à IRRÉFLÉCHI ce que

AVARE est à prodigue, parcimonieux, heureux, chanceux, miséreux

7. Quel mot va entre les parenthèses?

REPASSÉ (ÉVIER) LESSIVE
NOLISER (....) RIPATON

8.

Quel cube obtenez-vous après avoir replié la figure ci-dessus?

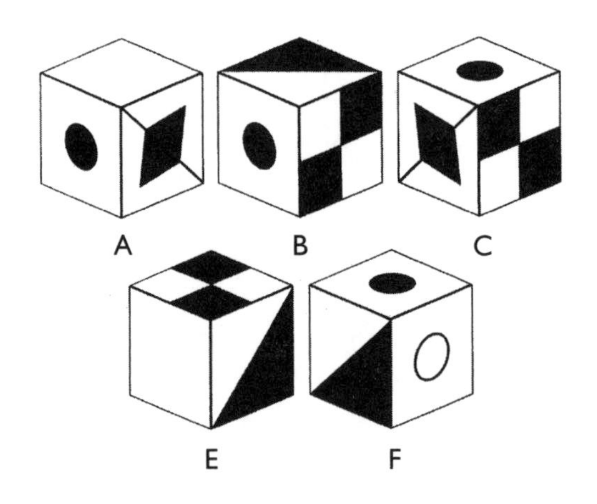

9. Quel mot entre parenthèses a le même sens que celui en majuscules?
FRATERNISER (éviter, distraire, soutirer, s'accorder, purger)

10. TRACE, PALME, RONCE, LAMPE, CARTE

Lequel de ces mots complète la liste ci-dessus?
RIVAL, CORNE, POUCE, TABLE, LIVRE

11. NEC PLUS ULTRA est à PERFECTION ce que
SUI GENERIS est à indéfiniment, charitable, intrinsèquement, étonnant, unique

12. DENSIMÈTRE est à DENSITÉ ce que
PLUVIOMÈTRE est à surface, pluie, humidité, temps, intensité

13.

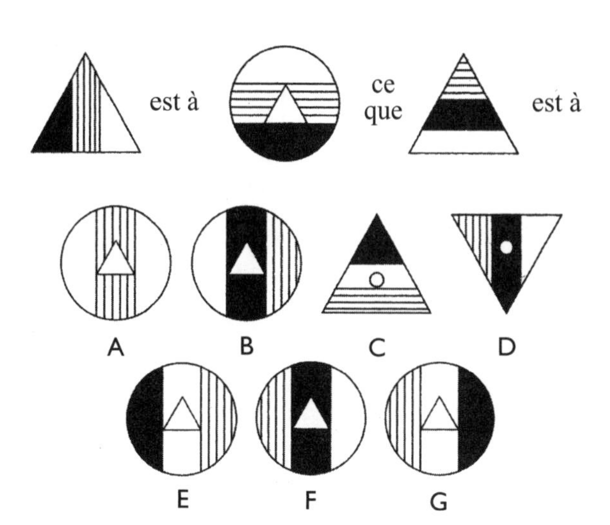

14. Trouvez le mot correspondant aux deux définitions hors des parenthèses.

insecte ailé (....) leurre à poisson

15. Quel mot entre les parenthèses a le même sens que celui en majuscules ?

GRÉGAIRE (réservé, affamé, généreux, sociable, féroce)

16. MENTIR, VÉRITÉ, TERNE, MANIÈRE, JUSTE, SALUER

Lequel de ces mots complète la liste ci-dessus ?
SIÈGE, URBAIN, PRIER, DEBOUT, OBSERVER

17. Une fois placé entre les parenthèses, quel terme complète le premier mot et commence le second ?

CON (...) ELLE

18. Quel est le nombre manquant dans le coin inférieur droit ?

2	4	6	10
5	1	6	7
7	5	12	17
12	6	18	?

19.

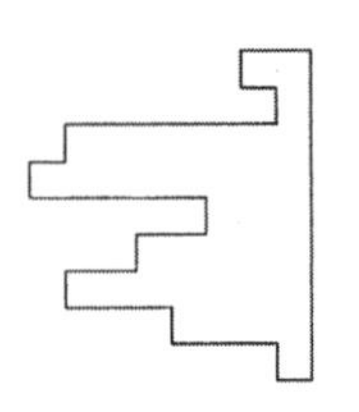

Lequel de ces morceaux forme un carré parfait en s'emboîtant dans celui ci-dessus ?

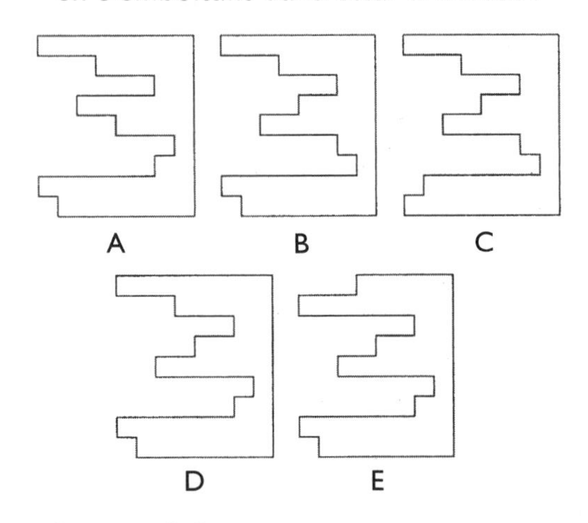

20. Qu'est-ce qu'un patois ?

a) un patio
b) des mensonges
c) des gangsters
d) un dialecte
e) des frères

21. Trouvez l'anagramme en un mot de :
CURE DE RAT

22.

Quelle figure complète la série ci-dessus ?

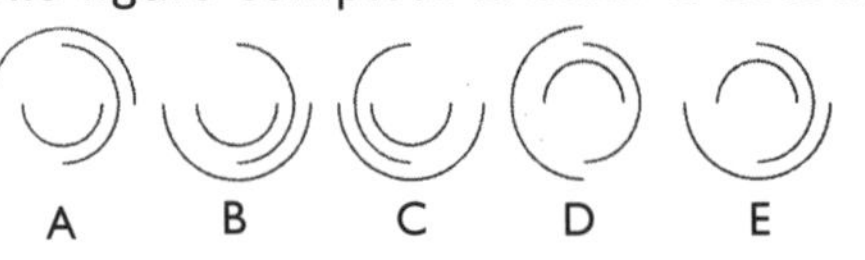

23. Quel mot peut se placer devant les autres pour former quatre nouveaux mots?

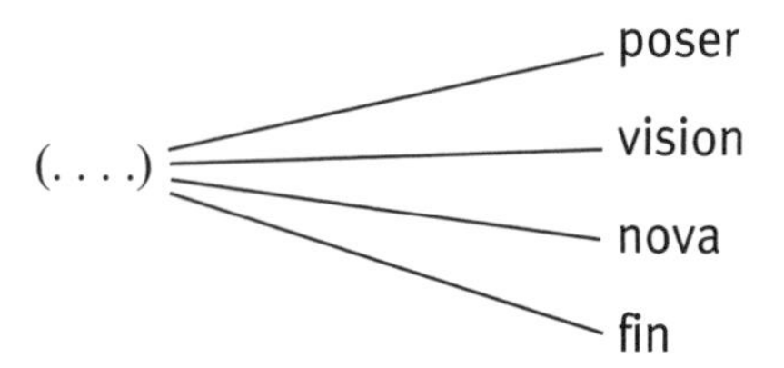

24. Lequel de ces mots ne désigne pas une danse?

sirtaki, pavane, goulache, mazurka, farandole

25. Trouvez le mot correspondant aux deux définitions hors des parenthèses.

beau jeune homme (....) papillon bleu vif

26.

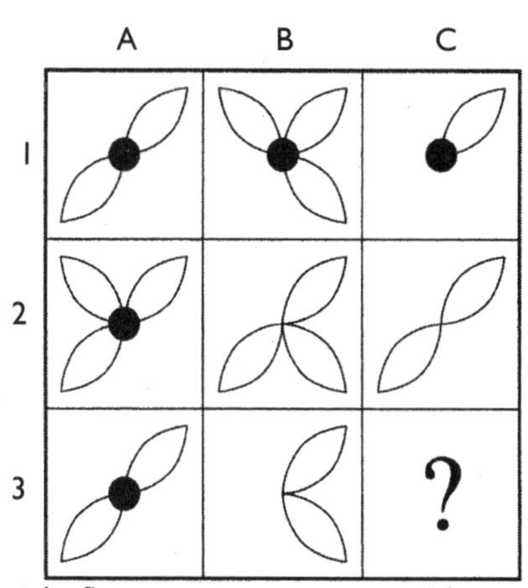

Quelle est la figure manquante parmi les suivantes?

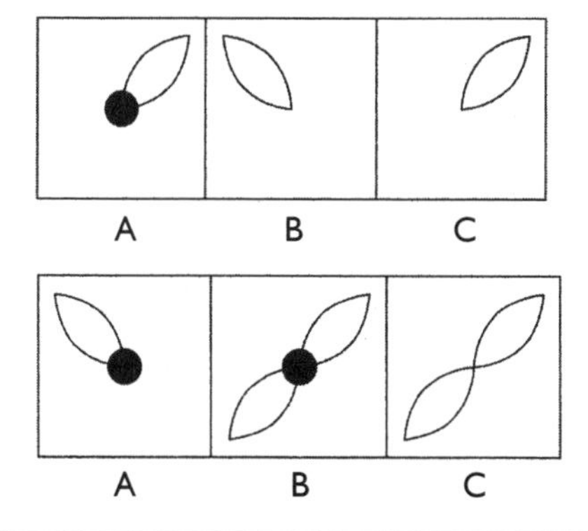

27. Quel nombre devrait être placé dans le cercle central?

a) 15
b) 20
c) 30
d) 45
e) 60

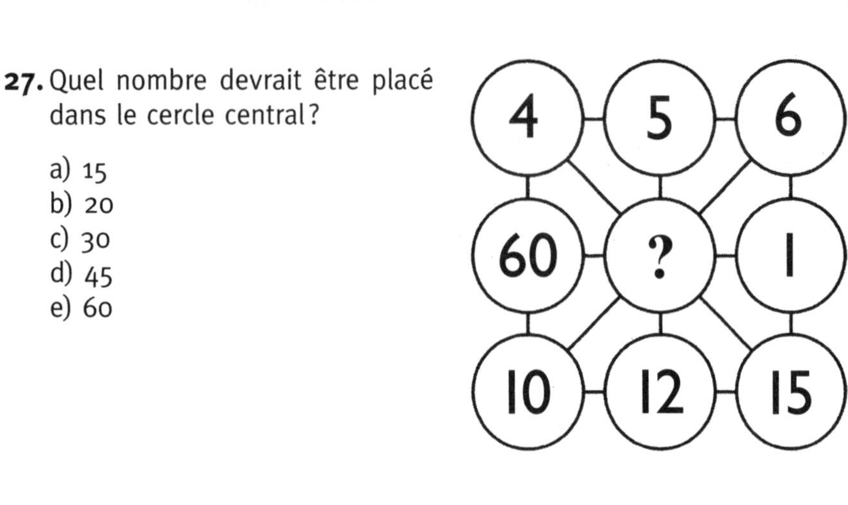

28. Comment appelle-t-on un étui à flèches?

a) un gousset
b) une gaine
c) un carquois
d) une trousse
e) un cornet

29. Trouvez le mot ayant le même sens que :

LEXIQUE
parchemin, chaise, secrétaire, dictionnaire, journal

30. Qui est l'intrus?

mulet, smolt, albatros, goujon, ombre

31. Trouvez le terme qui complète le premier mot et commence le second.

passe (....) ail

32. Réunissez deux blocs de trois lettres pour former le nom d'un sport d'hiver.

PIS SKI LOM GLA SLA TEN

33. Quels sont les deux mots dont le sens s'oppose?

obèse, nocif, similaire, verbeux, bénéfique, généreux

34. Quels sont les deux mots dont le sens se rapproche le plus?

basalte, idole, imbécile, garçon manqué, virago, nain

35.

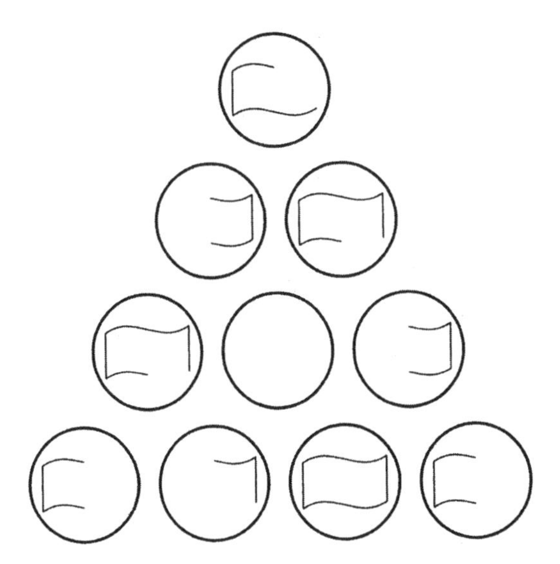

Laquelle de ces figures va dans le cercle vide ci-dessus?

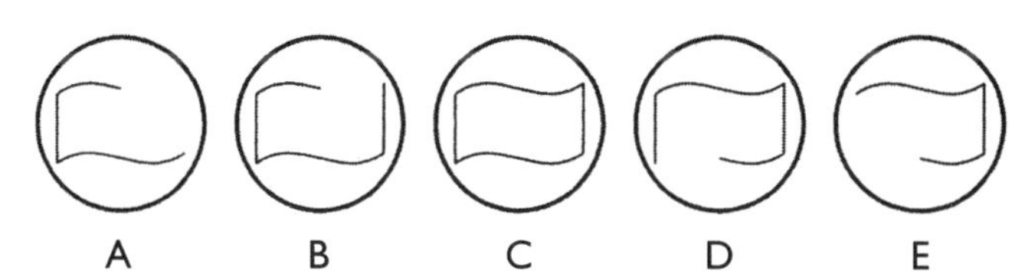

36. Réunissez trois blocs de deux lettres pour former le nom d'un organe du corps.

EI ON LE UM RA PO

37. Quel est l'ingrédient qui fait toujours partie de :

SABAYON
fromage, sardine, jaune d'œuf, poivron, tomate

38. Quel nombre devrait logiquement se placer dans le cercle vide pour compléter la série?

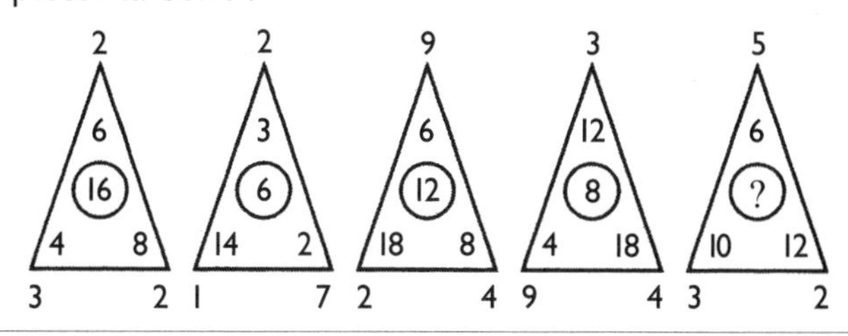

39. Complétez la série suivante :

5, 9, 7, 6, 11, 0, 19?

40. Qui est l'intrus?

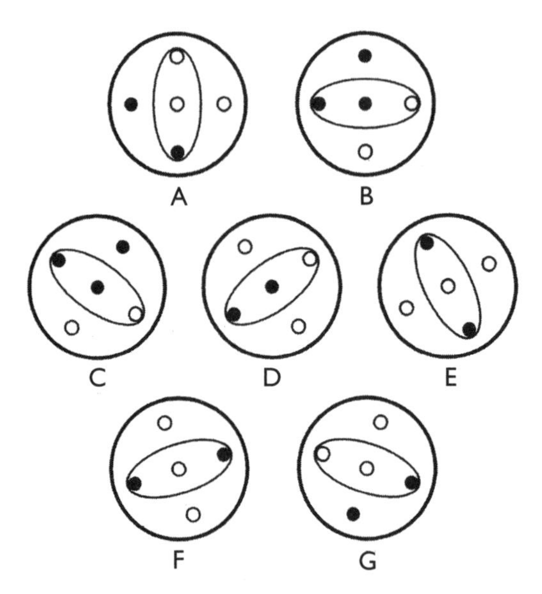

RÉPONSES – TEST QUATRE

1. H. Les contenus des troisièmes cases, verticalement et horizontalement, sont déterminés par ceux des deux premières cases. Seules les lignes qui apparaissent dans les deux premières cases sont reportées dans les troisièmes cases. Les lignes qui n'apparaissent qu'une fois ne figurent pas dans les troisièmes cases.

2. tautologie

3. corruption, rectitude

4. officiel, informel

5. complimenter

6. prodigue

7. ROTIN :

1 2	23451	5 43
REPASSÉ	(ÉVIER)	LESSIVE
1 2	23451	5 43
NOLISER	(ROTIN)	RIPATON

8. C

9. s'accorder

10. CORNE : trace et carte, palme et lampe sont des paires d'anagrammes.

11. unique

12. pluie

13. F. La figure bascule de 90 degrés à gauche. Elle devient un cercle et un triangle va au centre du cercle.

14. mouche

15. sociable

16. URBAIN. Les deux premières lettres de chaque mot sont celles des planètes dans l'ordre à partir du Soleil : Mercure, Vénus, Terre, Mars, Jupiter, Saturne, Uranus.

17. TOUR : pour former contour et tourelle.

18. 24. Horizontalement et verticalement, chaque troisième nombre est la somme des deux nombres précédents.

19. D

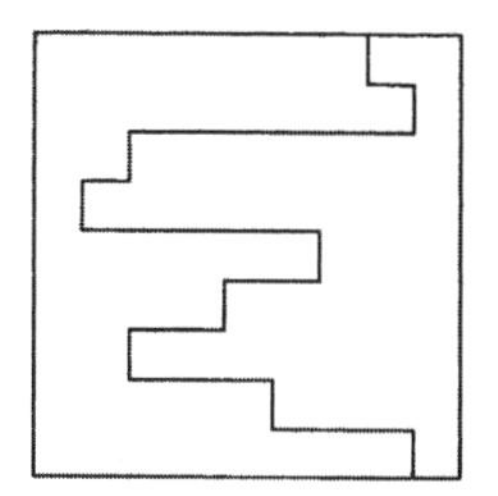

20. d) un dialecte

21. rédacteur

22. B. La courbe extérieure tourne successivement de 90 degrés dans le sens horaire; la courbe intérieure tourne successivement de 90 degrés dans le sens antihoraire; et la courbe du milieu tourne successivement de 90 degrés dans le sens horaire.

23. super

24. goulache : un ragoût de bœuf hongrois.

25. adonis

26. C :
col. A + col. B = col. C
ligne 1 + ligne 2 = ligne 3
Seules les parties semblables sont reportées.

27. e) 60 :

4 X 15 = 60, 5 X 12 = 60
6 X 10 = 60, 60 X 1 = 60

28. c) un carquois

29. dictionnaire

30. albatros : les autres sont des poissons.

31. port

32. slalom

33. nocif, bénéfique

34. garçon manqué, virago

35. A. Chaque cercle est obtenu en combinant les parties des deux cercles du dessous, mais les parties semblables disparaissent.

36. poumon

37. jaune d'œuf

38. 24 :

$$\frac{6 \times 4 \times 8}{3 \times 2 \times 2} = 16$$

$$\frac{3 \times 14 \times 2}{1 \times 7 \times 2} = 6$$

$$\frac{6 \times 18 \times 8}{2 \times 4 \times 9} = 12$$

$$\frac{12 \times 4 \times 18}{9 \times 4 \times 3} = 8$$

$$\frac{6 \times 10 \times 12}{3 \times 2 \times 5} = 24$$

39. –12. Il y a deux séries :
5, 7, 11, 19 (+2, +4, +8)
9, 6, 0, –12 (–3, –6, –12)

40. D. A est identique à G;
B est identique à C;
E est identique à F.

TEST CINQ

1. Quelle est la figure manquante dans le coin inférieur droit?

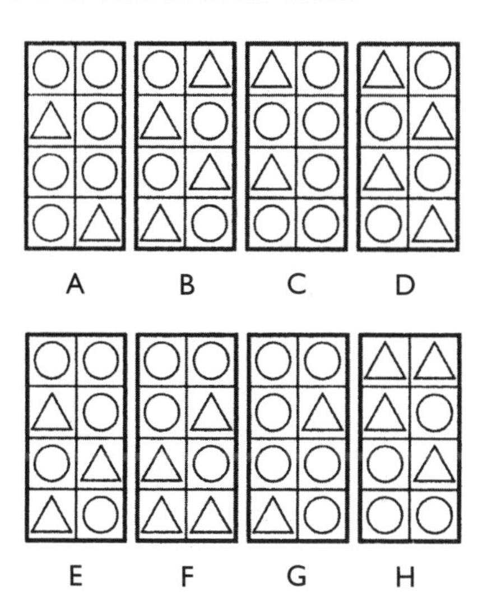

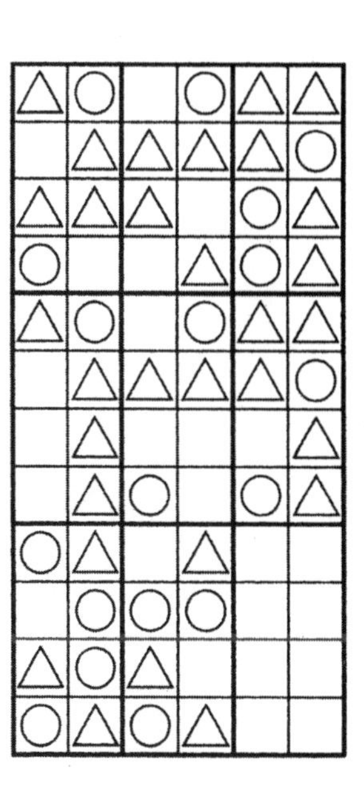

2. Quel mot va entre parenthèses?

DÔME (MODÉRÉES) ÈRES
NETS (....) NIELLE

3. Trouvez l'anagramme en un mot de :

MINE DE RIEN

4. Quel mot entre parenthèses est le contraire de celui en majuscules?

IRRATIONNEL (convenable, décisif, logique, prudent, paisible)

5. Deux mots dans les cercles sont des antonymes. L'un se lit dans le sens soit horaire, soit anti-horaire dans le cercle extérieur, et l'autre se lit dans le sens opposé dans le cercle intérieur. Trouvez les lettres manquantes pour former les mots.

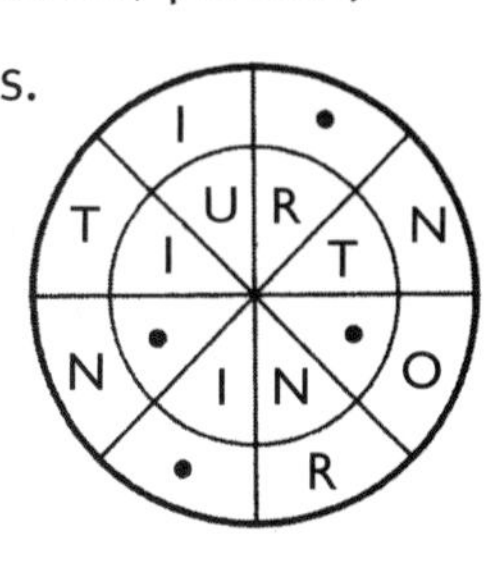

6. Quel mot de quatre lettres peut s'ajouter à ces lettres pour former cinq nouveaux mots?

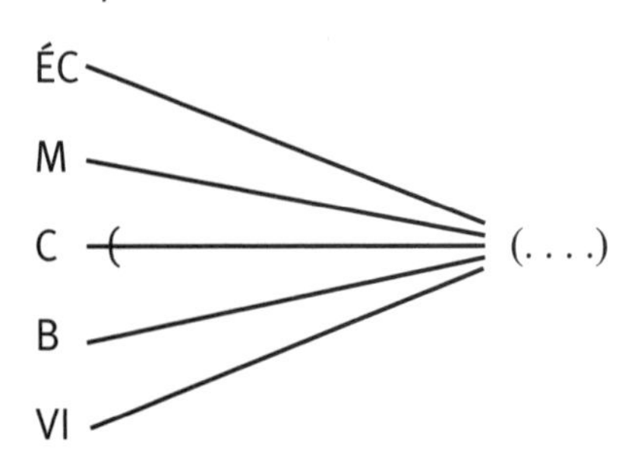

7. Lequel de ces morceaux forme un carré parfait en s'emboîtant dans celui-ci-contre?

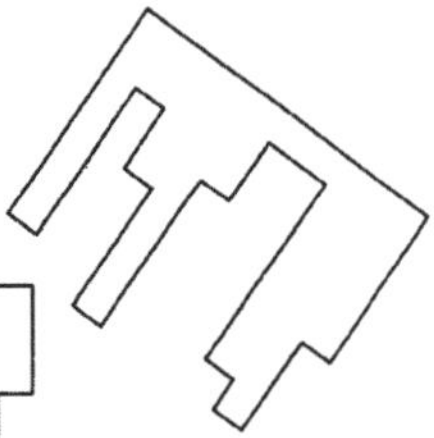

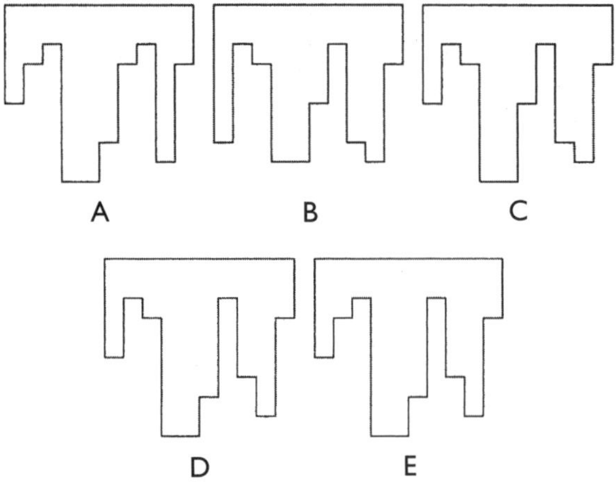

A B C

D E

8. SURUTILISÉ est à ÉCULÉ ce que
TROP APPLIQUÉ est à mesquin, scholastique, irritable, impérieux, zélé

9. Trouvez les deux mots dont le sens se rapproche le plus.
retirer, épouser, érudit, creux, précis, expert

10. Une fois placé entre parenthèses, quel terme complète le premier mot et commence le second?

BROU (....) MINUS

11. Quel est l'écusson manquant dans le coin inférieur droit?

12. A B C D E F G H

Quelle lettre est la deuxième lettre à gauche de celle qui est immédiatement à gauche de la quatrième lettre à droite de celle immédiatement à droite de la lettre C?

13. Lequel de ces mots ne désigne pas un moyen de transport?

CRTAURET
TROCAHI
ANRVCAAE
DRUÉEMAE
SNOMBUI

14. Trouvez les deux mots dont le sens se rapproche le plus.

larmoyant, préoccupé, triste, lent, furieux, pleurnichard

15. HUMAIN est à IMPITOYABLE ce que

HUMBLE est à obséquieux, intéressant, facétieux, prétentieux, déférent

16. Trouvez l'anagramme en un mot de :

DOUBLE ESSOR

17.

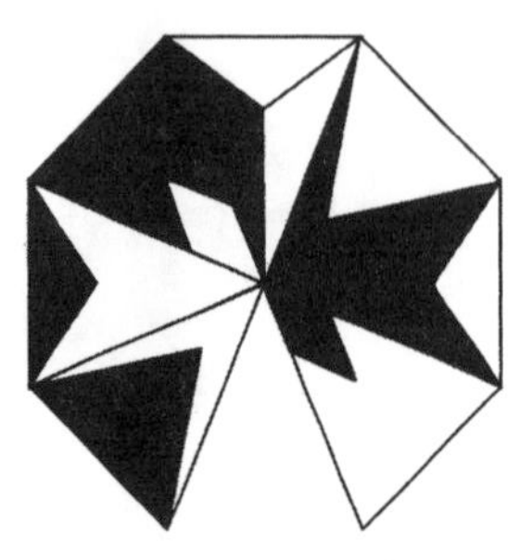

Quelle est la section manquante de l'octogone ci-dessus?

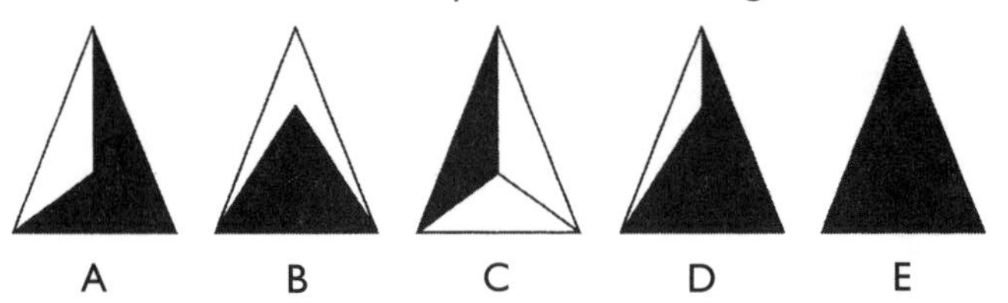

18. Quel mot entre les parenthèses est le contraire de celui en majuscules?

SOMBRE (occupé, absorbé, drôle, cru, calme)

19. Trouvez les deux mots dont le sens s'oppose.

simple, incessant, unique, ponctué, remarquable, lucide

20. Qu'est-ce qui fait toujours partie de :

POT-POURRI
farine, œufs, parfum, sel, poivre

21. Trouvez le mot ayant le même sens que :

CAPRICE
signification, plat, fantaisie, danse, chapeau

22. Trouvez le terme qui complète le premier mot et commence le second.

char (....) homme

23. Qui est l'intrus?

souchet, courlis, casoar, lagopède, vandoise

24. Réunissez trois blocs de deux lettres pour former le nom d'une chaîne de montagnes.

RA AL CO ER SI MA

25. Quels sont les deux mots dont le sens se rapproche le plus?

magnificence, escarpement, éclat, rencontre, métier, enceinte

26. Quel mot peut se placer devant les autres pour former quatre nouveaux mots?

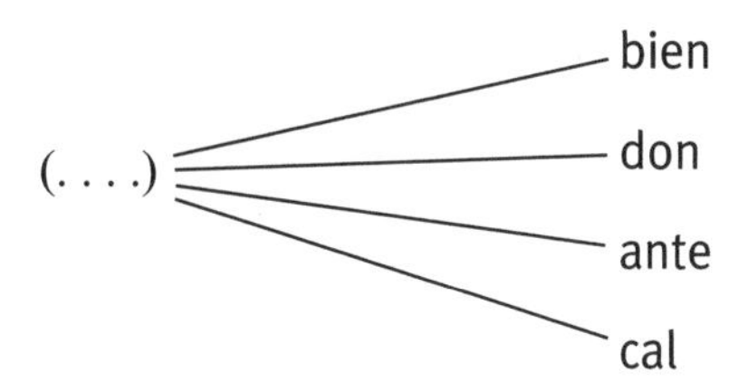

27.

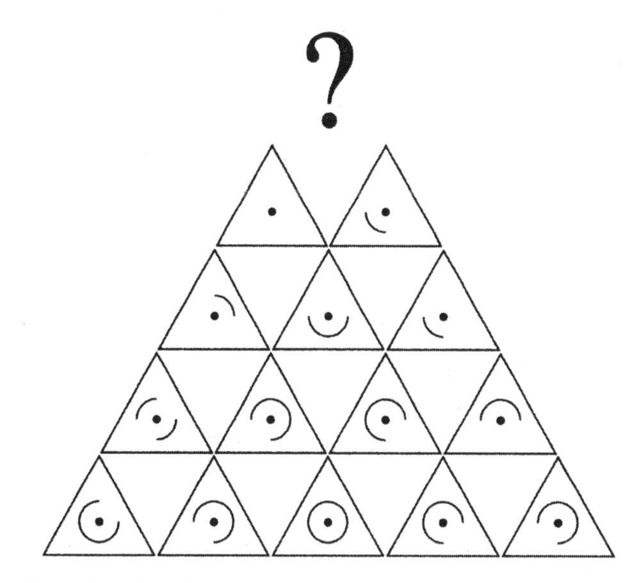

Quel est le triangle manquant au sommet de la pyramide?

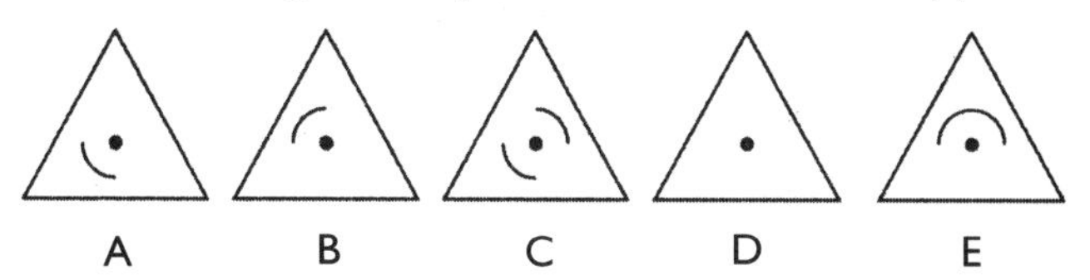

28.

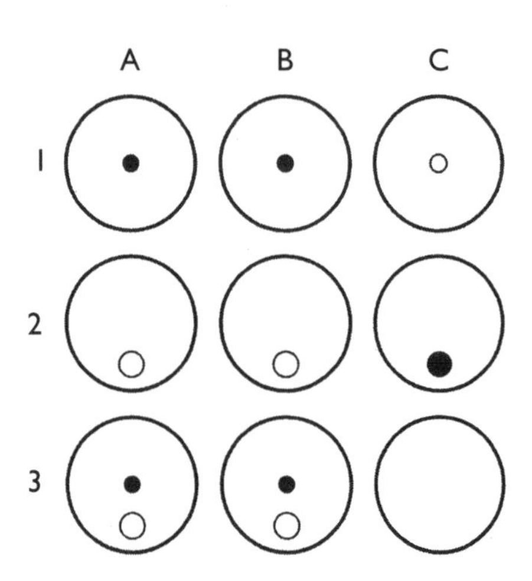

Quelle figure devrait logiquement se placer dans le cercle vide pour compléter la série ci-dessus ?

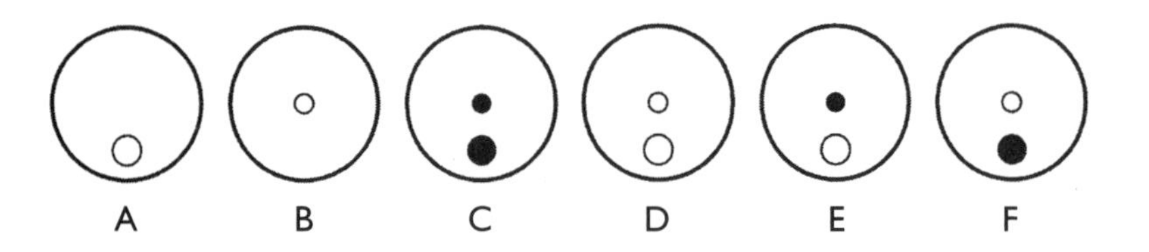

29. Trouvez l'anagramme de :

MORNIFLE

30. Qu'est-ce qu'un cipaye ?

a) un chou
b) un soldat
c) un pâté
d) un véhicule
e) un bocal

31. Trouvez le mot correspondant aux deux définitions hors des parenthèses.

petite sphère (....) visage

32. Quels sont les deux mots dont le sens s'oppose ?

glossaire, schisme, patriarche, parodie, union, schématique

33.

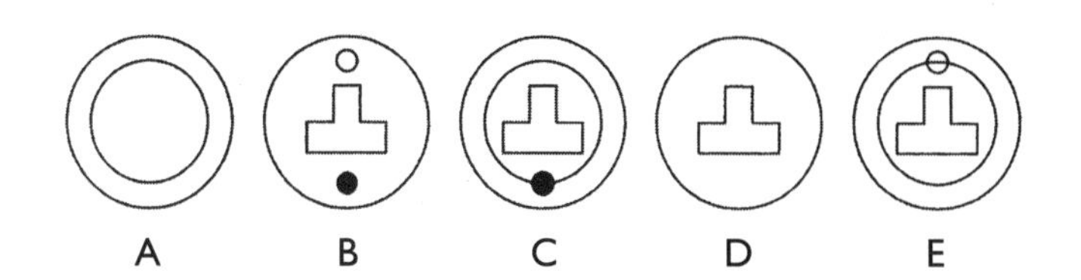

Quelle figure devrait logiquement se placer dans le cercle vide pour compléter la série ci-dessous?

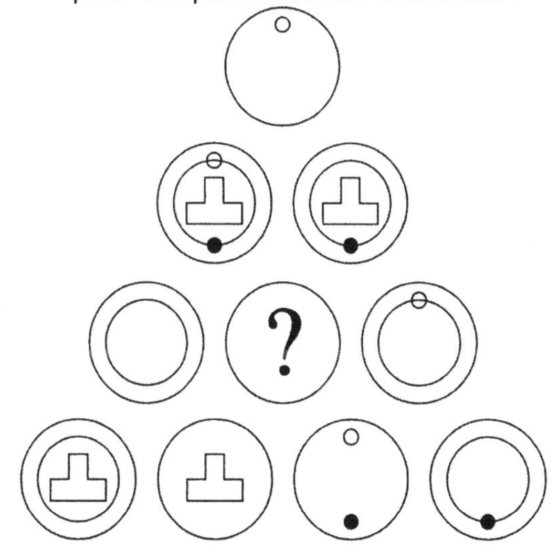

34. Quel nombre complète cette série?

7, 21, 84, 420, ?

35. Comment appelle-t-on une réunion de scouts?

a) une troupe
b) un éclairage
c) une dissimulation
d) un service
e) un jamboree

36. Réunissez deux blocs de trois lettres pour former le nom d'un animal.

BRE SER TOR CHE VER CAS

37. Lequel de ces mots ne désigne pas une créature aquatique?

mante, orque, lamproie, germon, flétan

38.

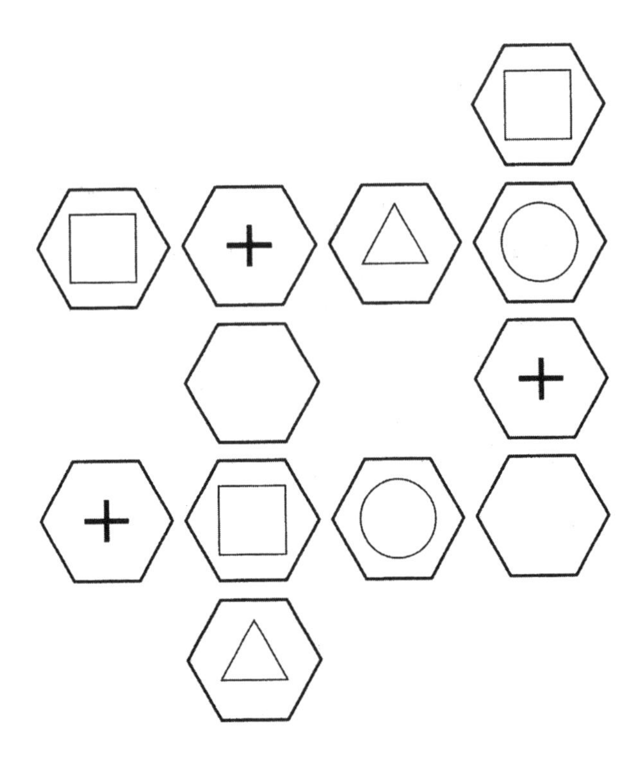

Quels sont les deux symboles qui devraient aller dans les deux hexagones vides ?

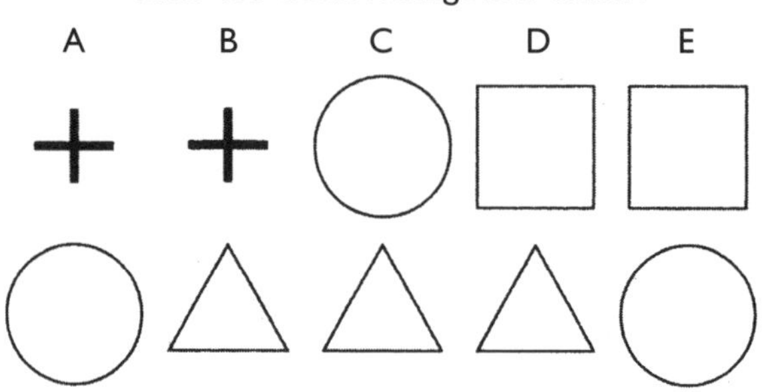

39.

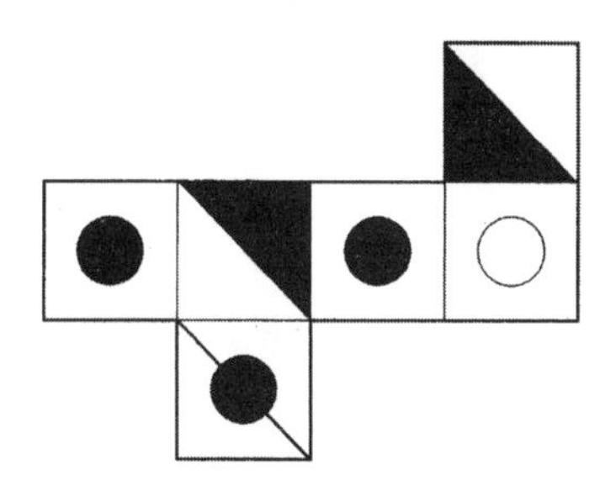

Lequel des six cubes ne peut être obtenu à partir du cube déplié ci-dessus ?

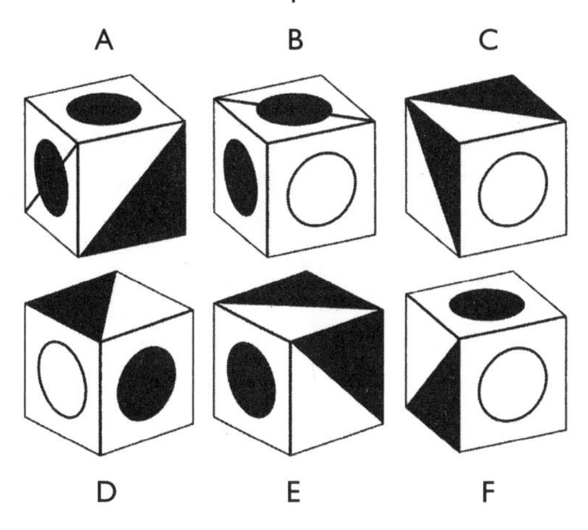

40. Combien de fois ce morceau de casse-tête peut-il s'emboîter dans la figure ?

a) 10
b) 11
c) 12
d) 13
e) 14

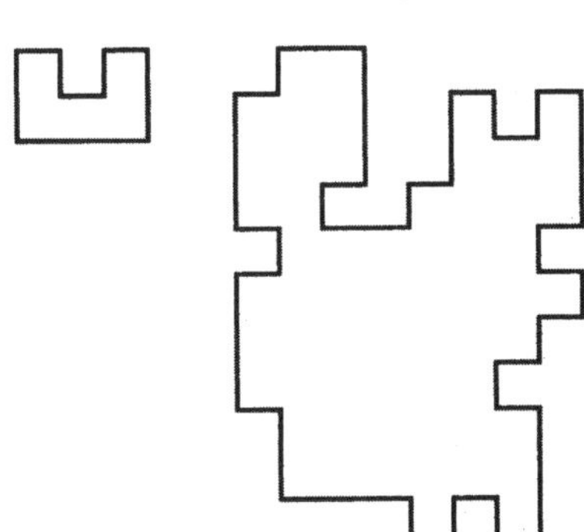

RÉPONSES – TEST CINQ

1. G. Les contenus de tous les troisièmes rectangles, verticalement et horizontalement, sont déterminés par ceux des deux rectangles précédents. Quand un symbole apparaît dans la même position dans les deux rectangles, il se transforme de cercle en triangle et vice versa dans le troisième rectangle. S'il n'apparaît qu'une fois dans une position, il est simplement reporté.

2. SENTINELLE : NETS est une anagramme de SENT et NIELLE est une anagramme de INELLE.

3. méridienne

4. logique

5. ignorant, instruit

6. ORNE : pour former écorne, morne, corne, borne et viorne.

7. D

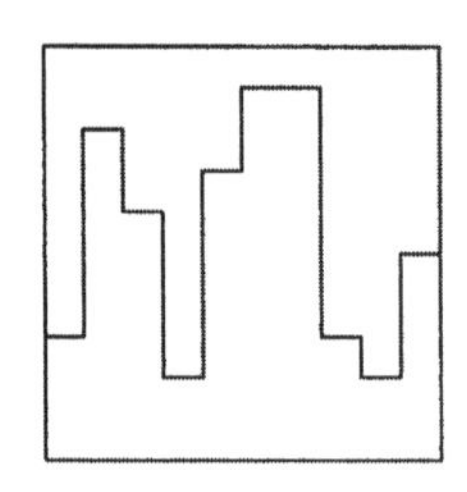

8. zélé

9. érudit, expert

10. TER : pour donner brouter et terminus.

11. D. Chaque rangée et chaque colonne contient chacune des trois croix; un triangle, un cercle et un carré; un fond noir, rayé horizontalement et verticalement; et juste une des croix en noir.

12. E

13. DRUÉEMAE = ÉMERAUDE. Les moyens de transport sont : tracteur, chariot, caravane et omnibus.

14. larmoyant, pleurnichard

15. prétentieux

16. déboussoler

17. A. Les segments opposés sont des images miroirs, mais le noir et le blanc sont inversés.

18. cru

19. incessant, ponctué

20. parfum

21. fantaisie

22. bon

23. vandoise : un poisson; les autres sont des oiseaux.

24. sierra

25. magnificence, éclat

26. ami

27. A. Les contenus de la deuxième rangée de triangles sont obtenus en reportant les parties de cercle communes aux deux triangles immédiatement au-dessous. En revanche, les contenus de la troisième rangée sont les parties de cercle non communes aux triangles du dessous. Les contenus de la quatrième rangée redeviennent les parties communes et ceux du haut (cinquième rangée) redeviennent les parties non communes. Le point central est toujours reporté.

28. F :

col. A + col. B = col. C
ligne 1 + ligne 2 = ligne 3
Les cercles semblables changent de couleur.

29. informel

30. b) un soldat

31. bille

32. schisme, union

33. B. Chaque cercle est obtenu en combinant les deux cercles du dessous, mais les symboles semblables disparaissent.

34. 2520 (X 3, X 4, X 5, X 6)

35. e) un jamboree

36. castor

37. mante

38. C. Chaque rangée et colonne de 4 hexagones doit contenir □, △, ○, + dans n'importe quel ordre.

39. C

40. c) 12

INDEX